時代信息叢書

逆境奏樂歌

樂歌

從腓立比書看快樂滿足的祕訣

郭文池　著

明道社

時代信息叢書

逆境奏樂歌——
從腓立比書看快樂滿足的祕訣

作者：郭文池

文稿編輯：許沛恩、歐偉長、歐李小燕
2009 年 3 月初版
2015 年 1 月第三次印刷
編號：MDP0222
國際書號：978-988-18231-1-3
版權所有．請勿翻印

Contemporary Messages Series
The Message of Philippians
Author: Kwok Man-chee

Script Editor: Charis Hui,
              Estella and Stanley Au
1st printing, March 2009
3rd printing, January 2015
Cat. No.: MDP0222
ISBN: 978-988-18231-1-3
© 2009 by Ming Dao Press Ltd.
All Rights Reserved

出版及發行：明道社有限公司
電話：(852) 2986 9968
傳真：(852) 2986 9926
電郵：info@mingdaopress.org
網址：www.mingdaopress.org
Facebook: www.facebook.com/mingdaopresshk
地址：香港九龍新蒲崗雙喜街 9 號匯達商業中心 6 樓 6 號室
      Unit 6, 6/F., Win Plaza, 9 Sheung Hei Street,
      San Po Kong, Kowloon, HONG KONG

送給

我們摯愛的天欣與先遜
（Dorothy and Josiah）
他們是父神給我們
生命中最寶貴的禮物

目錄

自序

　　從沒有想過幾年前主日講壇的信息，如今會編印成書；也沒有想過在香港母會（中國基督教播道會油麻地道真堂）的講道，同時造就了遠在加拿大溫哥華的弟兄姊妹。這本書能付梓，足以見證神多方面奇妙的作為！

　　2001 年神引導筆者回到母會，再次全職牧養弟兄姊妹，2003 年「沙士」（非典型肺炎）期間，筆者開始在主日崇拜，以十堂講解腓立比書。二千年前使徒保羅給腓立比教會的信息，今天仍然鏗鏘有力；對於身處困境的信徒，有如荒漠中的甘霖，潤澤心靈，不致在困苦中枯乾萎。這書卷亦能引領我們學習保羅的榜樣，視困苦為父神給我們化裝的祝福，活出生命之道。

　　2007 年筆者有機會到加拿大溫哥華領會，有好幾位素未謀面的肢體，不約而同地相告，他們透過互聯網聽到筆者在教會中講解腓立比書。其中有歐偉長及歐李小燕伉儷，熱切地鼓勵筆者將這一系列講道編寫出來，造就其他信徒。得到明道社同工及他們夫婦的幫助，這書遂可以順利出版。

　　基督徒常把平安喜樂掛在口邊，但在困難中，

即或信徒也很容易回到人性基本的掙扎上，與世人無異，失去平靜安穩。腓立比書很可能是保羅在羅馬下監時所寫的書信（詳見本書導論，第 2-15 頁），他落在人世間最卑微艱困的境地，卻切實地身體力行，向我們揭示在困境中重尋快樂與滿足之道。我們細讀腓立比書的信息，會看到那千古不移的真理，今日依舊如空谷迴音，吸引和召喚我們，在當下的處境中付諸實踐；因而重拾喜樂平安，滿有屬靈動力。深盼本書的讀者，特別那些正面對人生種種困難與挑戰的肢體，能透過本書思想腓立比書的真理，向父神支取祂早在基督耶穌裡應許給我們的力量，來度過每一天。

本書得以順利出版，除了感謝明道社的眾同工，必須特別感謝歐偉長伉儷，他們義不容辭地承擔編輯的工作，毫不計較又有效率，實在是筆者事奉的好榜樣。在此也感謝母會的三位傳道同工：蕭旭欣先生、胡鍾美姑娘及張偉珍姑娘，筆者特邀他們為本書寫推薦文，因他們是我在真道上的親密戰友，同負宣講教導之軛，也一起學習實踐真道。內子燕玲多方協調本書的出版並給予意見；她多年來默默地協助筆者，使我能無後顧之憂，履行主的託付，實在是我生命中最重要的同路人。

郭文池

2009 年 3 月國際金融海嘯期間，寫於香港

如何使用本書

本書的特點

除了經文分析外，本書還附加「默想／討論問題」，不單適合個人閱讀，也可以用作主日學、團契或小組查經。

在主日學、團契或小組查經，讀者可按以下建議的時間採用本書作研習本：

五個星期

第一，每個星期研讀兩章。

第二，請參加者先在家裡完成每章的「默想／討論問題」。

第三，選擇每章重點，每週一同思考討論，藉著小組討論，分享默想的領受。每次需時四十五至六十分鐘。

十個星期

第一，每個星期研讀一章。

第二，請參加者先在家裡完成每章的「默想／討論問題」。

第三，選擇每章重點，每週一同思考討論，藉著小組討論，分享默想的領受。每次需時三十至四十五分鐘。

　　總而言之，無論運用多少時間讀畢本書，最重要的是實踐聖經教導的內容。因為本書不但灌輸知識，更希望推動讀者學以致用。

　　如果是個人閱讀，則可隨自己閱讀的進度，以及按個人的情況應用、思考和實踐。

　　最後，祝願各位讀者藉著本書，能夠體驗和經歷神的話語，並且得到生命的更新、喜樂和滿足。

導論

I. 引言

喜樂是每一個人與生俱來的情操，也是很多人一生終極的追求。世人的喜樂主要是建基於兩個因素上：性格樂觀及環境順利。因此人若是性格較悲觀，或遇上人生各樣的苦痛災禍時，喜樂就會消失；就算人的性格較樂觀，又或遇到順境時而高興歡喜，其實這也不是聖經所說的喜樂。

腓立比書是作者保羅坐牢期間，可能面對殉道的情況下寫成的，收信人腓立比教會，也正為他們的教牧領袖保羅及同工以巴弗提的困苦而憂心，遇到這樣的逆境，保羅在腓立比書卻傳達了喜樂的信息，他從嶄新的角度來看人生，就是基督徒不論在何種環境，都要因福音而喜樂。在腓立比書，保羅親自展示了那為福音受苦而有的喜樂，也勉勵腓立比教會要同心合意因興旺福音而喜樂。

今天的基督徒要重新聆聽腓立比書的信息：為福音而喜樂。我們的心境常因環境、健康、經濟、家庭、人際關係等問題而改變，這反映出我們仍需努力學習二千年前保羅給腓立比教會的信息。筆者盼望，這本小書能勉勵讀者具體地活出基督徒應有的生命力，散發基督榮美的香氣，相信這是今天教會所需要的信息，也是世人期望在我們身上看到的信息！

II. 腓立比書的作者

腓立比書一1 寫著：**基督耶穌的僕人保羅和提摩太，寫信給凡住在基督耶穌裡的眾聖徒和諸位監督、諸位執事。**因此，從這節聖經，我們可以看到腓立比書是保羅及提摩太所寫給腓立比教會的書信。在書中，作者經常以第一人單數的代名詞「我」來稱呼自己，而且從二章 19 節**我靠主耶穌指望打發提摩太去見你們，**可見這書真正的作者只是保羅，提摩太因與他同在一處，也是有分建立腓立比教會的傳道同工（參徒十六 1，十八 5），因此，保羅也將提摩太的名字寫上，保羅在他所寫的其他五卷書信中，也有與提摩太聯署發信的做法（見林後一 1；西一 1；帖前一 1；帖後一 1；門 1 節）。此外，保羅是這書的作者也可從書內其他的經文看到，三章 4 至 8 節是作者的自白，四 15 說：「**腓立比人哪，你們知道我初傳福音，離了馬其頓的時候……**」等，都與保羅是這書的作者吻合。

從早期教父的著作中，也可以看到這書很早就認定是保羅所寫的，愛任紐（約公元 200 年）、[1] 亞歷山大革利免（約公元 215 年）、[2] 特土良（約公元

---

1 Irenaeus, *Against Heresies*, 12.4.

2 Clement of Alexandria, *Stromata, or Miscellanies*, 4.13.

225 年）[3] 等教父，不單引用腓立比書，還指出該書為保羅所寫，因此，保羅為腓立比書的作者，得到經文內證，及外證有力的支持，也因為這個原因，傳統上這書的作者問題，很少受到質疑。直至最近，以德國新派學者鮑爾（F. C. Bauer, 1792-1860）為首的杜平根學派（Tübingen School），才反對保羅是這書的作者，但由於已知的證據十分確實，因此，反對的意見並未得到太多學者認同。

III. 腓立比書的歷史背景

本書的歷史背景，有兩方面讀者應該留意，就是腓立比這城市及腓立比這間教會的背景，若了解這兩方面，會幫助我們明白本書的信息。

一、腓立比城市的歷史背景

腓立比城是由馬其頓的腓力二世（Philip II of Macedon，公元前 382-336 年）於公元前 358 至 357 年所建，並以自己的名字命名，[4] 腓力是希臘帝國最有名的亞歷山大大帝（Alexander the Great，公元前 356-323 年）的父親。羅馬帝國於公元前 168 年取代希臘成為歐洲及中東的新盟主後，腓立比城就成

3　*Tertullian against Marcion*, 5.20.

4　腓力的英文名字是 Philip，而腓立比的英文名字是 Phillipi。

為羅馬在馬其頓省的四個直轄城市的首個城市。公元前 31 年，羅馬王亞古士督提升腓立比城的地位，改為軍事重鎮，駐有大量軍隊，並成為羅馬的殖民地，在帝國中享有與羅馬城一樣待遇的特殊城市。

二、腓立比教會的歷史背景

使徒行傳第十六章記載腓立比教會建立的經過。腓立比教會是由保羅、提摩太、路加、[5] 西拉所建立。保羅第二次旅行佈道時，原本的計劃是前往小亞細亞（即現今的土耳其）一帶傳道，但在夜間神藉馬其頓異象帶領保羅，使福音開始由東方傳入西方，腓立比的教會，也就成為了歐洲第一所教會。

這個教會開始的時候，信主的人不多。保羅傳道的策略往往是先到那城市中的猶太會堂，但在腓立比城，可能猶太人不多，沒有正式的會堂，保羅就去了猶太人河邊禱告的地方，在那裡有可能是進猶太教的外邦婦人呂底亞，她及她的一家聽保羅講道而信主，成為腓立比第一批信徒。後來保羅及西拉因傳道而被捉拿，被打及關進監牢裡，腳也被鎖上木狗，但是主施行神蹟，在保羅及西拉的夜半歌

5　從使徒行傳十六章 10 節就開始那著名的「我們的段落」，即作者開始以第一人複數稱自己，那意味著作者路加開始加入保羅的佈道團隊，即剛出發往腓立比傳道的時候。

聲中，地大震動，監門全開，最後保羅更引領獄卒一家信了主，成為腓立比教會第二批信徒。

保羅在出獄後就離開腓立比往帖撒羅尼迦去，很可能留下提摩太繼續牧養腓立比的信徒，他們十分感激保羅傳福音給他們，就算保羅在帖撒羅尼迦期間，他們也兩次打發人供給保羅的需要（腓四16），後來保羅最少也兩次親自回到他們中間牧養他們（見徒二十 1～6）。保羅可以說是腓立比教會的創堂牧師，腓立比教會非常愛護及敬重保羅，保羅也很讚賞他們為福音齊心努力（腓一 5）。

IV. 腓立比書／監獄書信的寫作地點

保羅寫腓立比書時，明顯是為主被捆鎖的（見一 7、13、14 等），除了腓立比書外，還有以弗所書、歌羅西書和腓利門書，都是保羅在監獄中寫的書信，因此這四封書信往往稱為監獄書信。當然提摩太後書也是保羅在監獄時所寫的（提後一 8），但明顯保羅坐牢時寫提摩太後書的地點及時間，與前四封監獄書信不同。

按使徒行傳的記載，保羅共有四次坐牢的經歷：

1. 在腓立比（徒十六 19～40），時間很可能很短暫，約於公元 50 年；

　　2. 在耶路撒冷（徒二十一 33～二十三 30），時間可能也不太長，約於公元 57 年；

　　3. 在凱撒利亞（徒二十三 31～二十六 32），兩年的時間（徒二十四 27），約於公元 57-59 年；

　　4. 在羅馬（徒二十八 16～31），兩年的時間（徒二十八 30），約於公元 60 至 62 年。

　　除了這四次在使徒行傳的記載外，也有學者根據哥林多前書十五章 32 節**在以弗所同野獸戰鬥**這句話，推斷保羅很可能也曾在以弗所下過監，只是使徒行傳沒有記載而已。

一、保羅在羅馬寫腓立比書

　　一向以來學者對腓立比書等的監獄書信寫作地點及時間有很多的討論，根據上文的分析，保羅在腓立比或耶路撒冷監獄寫監獄書信的機會不大，因此學者認為寫作地點主要有以下三個可能：

　　1. 在以弗所　　（公元 53-56 年）；

　　2. 在凱撒利亞　（公元 57-59 年）；

　　3. 在羅馬　　　（公元 60-62 年）。

　　直至十八世紀，學者都相信保羅是在公元 60 至 61 年在羅馬首次坐牢時寫下腓立比書及其他三封監獄書信，原因是：

　　1. 保羅說自己受的捆鎖是**在御營全軍**中的（腓

— 13），馮蔭坤把這句話譯作「宮裡的衛隊」；[6]

2. 保羅轉述**在凱撒家裡的人**的問安（腓四 22）；

3. 保羅在腓立比書表示他要面對生死的最終判決（腓一 20～23，二 17、23），對於作為羅馬公民的保羅，這樣的判決不會在省份的地方官那裡作的，只可能在羅馬；

4. 保羅雖坐牢，但仍有傳道的自由（見腓一 14～18）；這個描述與使徒行傳二十八章 30 至 31 節記載保羅在羅馬坐牢的情況吻合。

根據上述的原因，腓立比書最可能的寫作地點就是羅馬。這個看法最大的弱點是羅馬與腓立比的距離太遠，兩地往返要走陸路達 1,170 公里，再加上一兩天的海上行程，估計單程就需要七、八個星期，[7] 但腓立比書中所記，在保羅下監這段時間內，保羅與腓立比教會之間，最少有四次互通消息：

1. 有人把保羅在羅馬坐監的消息帶返腓立比；

2. 腓立比教會差派以巴弗提帶著餽贈從腓立比到羅馬探望保羅；

6　馮蔭坤，《腓立比書註釋》，天道註釋叢書（香港：天道，1987），頁 114。

7　見馮蔭坤分析，同上，頁 43。

　3. 以巴弗提在羅馬生病的消息傳至腓立比教
會（腓二 25）；

　4. 腓立比教會為以巴弗提生病而憂慮的消息
又從腓立比傳回羅馬（腓二 26）。

　因此有學者就認為這樣的消息往來，應發生在
離腓立比城不遠的地方，羅馬與腓立比城的距離似乎
較難使兩地的消息有頻密的往來，而且保羅只在羅
馬坐牢兩年，沒有足夠的時間讓這樣的消息往返。

二、保羅在以弗所寫腓立比書

　這樣的消息往返，使近代一些學者認為腓立比
書的寫作地點，不應是距離千多里外的羅馬，更可
能是比較接近腓立比其他保羅坐牢的地方。雖然在
使徒行傳，路加沒有記載保羅在以弗所下監，但不
少近代學者提出這個可能。[8] 唐諾・古特立（Donald
Guthrie）詳細歸納學者在這方面的理據，[9] 現簡述

8　其中以 G. S. Duncan, *St. Paul's Ephesian Ministry*（New
　York: Scribners, 1929）最有代表性。

9　Donald Guthrie, *New Testament Introduction* (Downers
　Grove: IVP, 1970), 472-74；也可參考 John W. Drane
　著，劉良淑譯，《保羅》（台北：校園，1979），頁 110-11；
　及 D.A. Carson, Douglas J. Moo and Leon Morris, *An
　Introduction to the New Testament* (Grand Rapids:
　Zondervan, 1992), 319-21。

如下：

1. 哥林多前書十五章 32 節保羅說**在以弗所同野獸戰鬥**，很明顯保羅曾下監才可以說同野獸戰鬥；

2. 羅馬的革利免曾說保羅下監七次；[10]

3. 在所發現的古蹟中，以弗所有一座建築物刻有「保羅的監獄」（Paul's prison）的字句；

4. 不論保羅在出獄後希望探訪的歌羅西（門22）和腓立比教會（腓一 24～26，二 24），或是腓立比教會派以巴弗提前來探望保羅，在距離上，以弗所的地點都較羅馬合理，因為它們離以弗所，每程所需時間應不多於十天的路程；

5. 從腓利門書（另一封監獄書信）看，阿尼西母要從歌羅西的主人腓利門那裡，走 1,170 公里到羅馬是不太可能的，但走至距離只有 120 公里的以弗所，會更有可能。

但這樣的理據，其實不足以支持以弗所為監獄書信的寫作地點，現逐點回應如下：

1. 哥林多前書十五章 32 節很可能是象徵寫法，因為上文保羅說他天天死（《和合本》譯作**天天冒死**）都是象徵手法。

10　*The First Epistle of Clement to the Corinthians*, chap. 5.

2. 革利免的說話不能充分證明保羅在以弗所的地方下過監。

3. 「保羅的監獄」（Paul's prison）不一定是使徒保羅的監獄，因為保羅這個名字在當時是十分普遍的。

4. 羅馬交通方便是世界有名的。

5, 不能抹殺阿尼西母可能選擇以羅馬這個大城市來隱藏自己。

保羅在以弗所寫腓立比書這推論，不單沒有太多實質理據，最重要的是整個推論，都是建基於保羅曾在以弗所坐牢這個假設上，但這是使徒行傳完全沒有提及的，因此這個假設本身需要更多的證明。

三、保羅在凱撒利亞寫腓立比書

使徒行傳沒有提及保羅曾在以弗所坐牢，但卻清楚地記載保羅在凱撒利亞坐牢達兩年之久（徒二十四 27），因此，從十八世紀開始，一些學者倡議保羅在凱撒利亞寫腓立比書的理論，學者杰拉爾德‧霍索恩（Gerald Hawthorne）詳細歸納這些理據，[11] 現簡述如下：

---

11 Gerald F. Hawthorne, *Philippians*, Word Biblical Commentary, vol. 43 (Nashville: Thomas Nelson Publishers, 1983), xli-xliv.

1. 根據使徒行傳二十三章 35 節，保羅在凱撒利亞是**看守在希律的衙門裡**，而希律是羅馬在巴勒斯坦地的分封王，因此，腓立比書所說的**御營全軍**（一 13）及**凱撒家裡的人**（四 22）都可解作是希律王宮裡的人。

2. 根據使徒行傳二十四章 23 節，審判保羅的巡撫腓力斯**吩咐百夫長看守保羅，並且寬待他，也不攔阻他的親友來供給他**，這個較為自由的監牢情況與腓立比書的內容吻合。

3. 從腓立比書一章 24 至 26 節及二章 24 節可見，保羅甚有信心在審判後重獲自由，並且計劃探望腓立比教會，這與他在凱撒利亞坐監時，在夜間主給他的說話，要他在羅馬為主作見證這事（徒二十三 11）也相吻合，因為若保羅從凱撒利亞前往羅馬，中途探望腓立比教會應是合理的推論。

同樣地，以上的理據也是欠缺說服力的，因為：

1. 以**希律的衙門**來解釋**御營全軍**及**凱撒家裡的人**，這樣的解釋較為牽強。

2. 保羅在凱撒利亞坐牢得與親友來往，並不能證實他在該處寫腓立比書，因為保羅在羅馬坐牢時也可自由接待來見他的人。

3. 保羅從凱撒利亞前往羅馬是以囚犯的身分上去，因此他在途中，該沒有探望腓立比教會的自由。

以上的原因不單不支持保羅在凱撒利亞寫腓立比書，而且有更多反對這看法的理由，現簡述如下：

1. 在腓立比書中，保羅明顯地知道他要面對或生或死的裁決（腓一 19~23），因此保羅大概不是在凱撒利亞寫腓立比書，因為那時他正上訴於羅馬的凱撒（參徒二十五 6~27），而唯有在羅馬，身為羅馬公民的保羅才有可能被判死刑。

2. 傳福音的腓力及其四個會說預言的女兒都在凱撒利亞，保羅在此地時，也是由他們所接待的（徒二十一 8~9），因此，若保羅真的在凱撒利亞寫腓立比書，他在給腓立比教會的信件中，沒有理由不提及腓力，反而只轉述**凱撒家裡的人**的問安。

保羅不大可能在凱撒利亞寫腓立比書。若反對保羅在羅馬寫腓立比書的主要原因，是因為距離的話，那麼凱撒利亞的可能就更低了，因為從凱撒利亞往腓立比，要比從羅馬到腓立比更遠。

四、總結腓立比書／監獄書信的寫作地點

雖然以羅馬為保羅這四封監獄書信的寫作地點有某程度上的困難，但也有學者指出，從腓立比到

羅馬的行程需時七、八個星期的推論,是有點誇大,
就算真的如此,四次的消息往返,也都只在一年的
時間內就可完成,保羅在羅馬被監禁的時間長達兩
年,能合理地解釋這種情況。比起凱撒利亞及以弗
所是寫作地點的說法,傳統上以羅馬為保羅寫成監
獄書信的地點仍是最為可信,這就如海貝得所說:
「主張以以弗所〔或凱撒利亞〕為寫作地點之說,
困難重重,而引起的問題,比所解答的更多呢。」[12]

V. 腓立比書的主題及分段

　　身為腓立比教會的創堂牧者保羅,他以牧者的
身分寫了腓立比書,書中流露牧者對所愛教會很個
人化的叮嚀,主要內容有兩方面:

　　一、**為了實務**:包括交代以巴弗提的情況,感謝
腓立比的餽贈,告訴教會他現在等候判決的情形,
及對未來的計劃等。

　　二、**為了牧養**:包括鼓勵他們繼續同心興旺福音,
教導他們如何拒絕異端,勉勵他們努力向著標竿直
跑等。

　　無論在交代實務,或是牧養上,「要喜樂」這

12　海貝得著,蕭維元譯,《保羅書信導論》(香港:浸會,
　　 1981),頁 295。

個主題相當突出，全書**喜樂**或**歡喜**這類的字眼共出現了十六次。保羅每逢為腓立比教會祈禱時總是**歡歡喜喜的**（一 4），就算他在被囚時，看到福音被傳開也表現出**歡喜、還要歡喜**的態度（一 18）；同時保羅盼望腓立比教會**在基督耶穌裡的歡樂，因我再到你們那裡去，就愈發加增**（一 26）。因此，腓立比書的主題，可以說是保羅用他自己的生命去示範及勉勵腓立比教會：在任何情況下，應靠主過喜樂的生活。

筆者把腓立比書分作十章，分章的原則是按腓立比書這「要靠主喜樂」的主題。計有：

1. 蒙福的教會（一 1～11）

2. 蒙福的人生（一 12～26）

3. 建立蒙恩而謙卑的氣質（一 27～二 11）

4. 建立順服而喜樂的氣質（二 12～18）

5. 提摩太及以巴弗提的祝福（二 19～30）

6. 建立不自誇的喜樂氣質（三 1～7）

7. 得著基督之義的喜樂氣質（三 8～16）

8. 重尋饒恕的藝術（三 17～四 1）

9. 重尋平安的藝術（四 2～9）

10. 重尋知足的藝術（四 10～23）

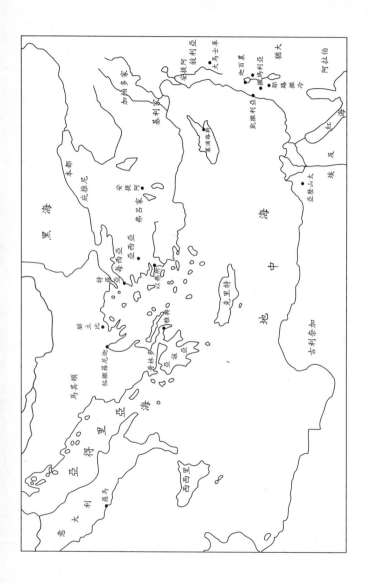

第一章
蒙福的教會
（腓一 1～11）

腓一 1～11

1　基督耶穌的僕人保羅和提摩太寫信給凡住
　　腓立比、在基督耶穌裡的眾聖徒，和諸位監
　　督，諸位執事。

2　願恩惠、平安從神我們的父並主耶穌基督歸
　　與你們！

3　我每逢想念你們，就感謝我的神；

4　每逢為你們眾人祈求的時候，常是歡歡喜喜
　　地祈求。

5　因為從頭一天直到如今，你們是同心合意地
　　興旺福音。

6　我深信那在你們心裡動了善工的，必成全這
　　工，直到耶穌基督的日子。

7　我為你們眾人有這樣的意念，原是應當的；
　　因你們常在我心裡，無論我是在捆鎖之中，
　　是辯明證實福音的時候，你們都與我一同得
　　恩。

8　我體會基督耶穌的心腸，切切地想念你們眾
　　人；這是神可以給我作見證的。

9　我所禱告的，就是要你們的愛心在知識和各

樣見識上多而又多，

10 使你們能分別是非〔或譯：喜愛那美好的事〕，
作誠實無過的人，直到基督的日子；

11 並靠著耶穌基督結滿了仁義的果子，叫榮耀
稱讚歸與神。

　　無論是信仰或是人生，都像馬拉松長跑，參賽
者需要有清楚明確的指標和多方面的肯定，才能完
成賽程。雖然這段「基督徒馬拉松人生賽程」並不
容易走，但我們都盼望能蒙神賜福眷佑，最終能跑
到終點。

　　新約聖經有十三封書信由保羅所寫。在保羅致
信的教會中，與他關係最密切的就是腓立比教會；
這教會有很多蒙神賜福的見證。當我們思想蒙福的
人生時，很自然便想到腓立比書一章 1 至 11 節，這
裡說明了一個蒙福的人，一班蒙福的人，或一個蒙
福的教會能夠蒙福的三個要素：

I. 良好的領導（一 1〜2）

　　在人生中有屬靈導師，他可算是蒙福的人。書
信的開首這樣寫：**基督耶穌的僕人保羅和提摩太
寫信給凡住腓立比**……這是保羅時代，希臘世界裡
沿用的書信格式：先著明寫信人，後寫收信人的名

字，此外，還會對他們加上一些介紹，這裡保羅介紹自己是**耶穌基督的僕人**便是例子。不過，這封信其實是由保羅一人寫的，並不是與提摩太一起執筆，為甚麼這樣說？請看二章 19 節：**我靠主耶穌指望快打發提摩太去**，提摩太在那裡是第三人稱，而第一人稱的**我**是保羅本人，故此這信只是保羅一人寫的。由於提摩太很多時候都和保羅在一起，他又是教會領袖，所以保羅在書信的開首，往往會加上提摩太的名字。這就像我們寫聖誕卡或聖誕電郵時，多數時候雖然只由太太執筆，但同時會寫上丈夫的名字一樣；因為兩個人常在一起，兩人的名字就自然地連繫起來了。加上保羅和提摩太是一起開展腓立比教會的，二人聯名寫信也是合理的。

保羅在很多地方稱自己為使徒，但由於提摩太不是使徒，在這書信中，他便沒有表明自己使徒的身分，他自稱：**基督耶穌的僕人保羅和提摩太**，又說：**寫信給凡住腓立比、在基督耶穌裡的眾聖徒，和諸位監督，諸位執事。執事**的原文可解作**僕人**，但與**耶穌基督的僕人**中的**僕人**是有些微分別。**我是耶穌基督的僕人**，意即我是耶穌基督的**奴隸**，這是很特別的形容；而**執事**是指在飯桌前服侍的人，他就像服務員一樣，服侍客人，問客人要吃甚麼東西，但不一定是奴隸。保羅介紹自己是耶

耶穌基督的奴隸，這是很革命性的，因這樣的自稱，不但非常謙卑，而且當時可以引起很多人的共鳴。為甚麼？二千多年前，羅馬帝國的統治時期裡，在巴勒斯坦地及歐洲一帶有很多奴隸。根據最保守的估計，在當時的羅馬帝國裡，至少一半人口是奴隸，甚至可能每四個人中就有三個是奴隸。據說當時有一位羅馬官員，曾有一個主意，他想下令所有奴隸穿上同一樣的服飾，藉以突顯羅馬人尊貴的身分。他最終打消了這念頭，他明白這樣做是十分危險的，因為這些奴隸佔全國一半以上的人口，若他們以服飾凝聚起來，就很容易造反了！這說明了奴隸很普遍，所以很容易引起收信人的共鳴。

保羅自稱是耶穌基督的奴隸，意指自己已沒有個人的權利可言。對於今天事奉神的人，無論是教會的領袖或是一般信徒，這是極基本的重要心態。既然我們不過是耶穌基督的奴隸，我們就不應再說：「為何我沒有這方面的權利？」「為甚麼我沒有相稱的身分？」「為甚麼他們不尊重我？」「為甚麼你不聽我說？」當我們有這些想法的時候，就要想一想：「為甚麼我能站在神面前，在神的家裡面服侍？這不都是神的恩典嗎？」我們都是註定滅亡的人，既蒙受祂的恩典，得以在神的家事奉，就要存謙卑的心，確實地視自己像主的奴隸一樣，甘

心服侍主，同時服侍別人。

保羅將腓立比教會的會眾分為三組人。第一組是**在基督耶穌裡的眾聖徒**，即所有的聖徒。保羅寫信給哥林多教會或腓立比教會，都稱所有信徒為聖徒，反映保羅認為收信人（眾教會）都是聖徒、聖人。基督教的成聖觀，並不是因我們有甚麼功德而封聖，是因聖經告訴我們，單單靠著耶穌基督的救贖，便足以使每一個真心承認主名的人成為聖徒了。

弔詭的是，保羅說他是領袖，但實是奴隸，受差遣去服侍眾教會的聖徒。這是強烈的對比，也是我們必須認清的身分：我們在神面前，只不過是謙卑的工人，但在神的眼中，同時是十分尊貴的，是耶穌用寶血所買贖的聖徒。所以，我們不要輕看自己，也不必介懷別人怎樣看自己，更不可自己踐踏自己，覺得好像人生沒有甚麼價值一樣。總括來說，我們因主耶穌基督的寶血而得到救贖，便要心存謙卑，因主耶穌已買贖了我們，我們便是祂的奴隸。

第二、三組人是**諸位監督**和**諸位執事**。這裡用的是眾數名詞，故不只是一個人。**監督**有時候譯作主教，就是指那些在教會中負責屬靈帶領的人，特別是教導神話語的人，這類似今天的牧師、傳道人或長老等。**執事**則是負責領導教會各方面運作或行政事務的人。這是教會一開始時，所奠下的管理哲

學，教會並不是單由一兩個人，或某種類別的人來帶領的。健全的教會應該具「雙頭馬車」的架構，既有屬靈方向上的領導，亦有組織、行政等方面的帶領，雙方均有信徒代表，與全職的教牧同工一起帶領教會。

接著，保羅繼續說：**願恩惠、平安從神我們的父並主耶穌基督歸與你們！**在聖經裡，**恩惠**和**平安**這兩個詞，在問安的時候經常放在一起。**恩惠**是指神在我們的生命中所做的一切，即祂的恩典，而**平安**就是神作工的結果。**平安**從不會放在**恩惠**前面的；先要有**恩惠**，然後才會有**平安**，因為**恩惠**是因，**平安**是果。先有神的恩典，我們內心才有平安；沒有神的恩典，就無法得到平安。

今天很多人希望得到平安與寧靜，往往會去一些地方休息，避開所有人，又或者去外地旅行，也有些人透過做運動等，讓身心恢復動力。這些做法都是好的，不過若我們離開了神，就難以獲得真正的平安。神設計人的心靈，是對祂有一份深切的渴求；人要得著真正的平安，惟一的途徑是回到祂那裡，因為人有神的恩惠，方有平安。

故此，腓立比教會是蒙福的教會，第一個原因是他們有很好的領袖——保羅和提摩太，亦有不錯的信徒領袖。使徒行傳第十六章提及，保羅準備繼續

在亞細亞傳道的時候，聖靈禁止他。接著他看見馬其頓的異象，這異象將保羅這個福音團隊，包括提摩太，帶到歐洲。馬其頓位於歐、亞毗鄰的地區，而保羅第一個到的地方就是腓立比，並且在此開始傳道工作。保羅初到貴境，他先到河邊，那是一處猶太人聚集祈禱的地方。他遇到一位賣布匹的女商人呂底亞，得到她的信任，並向她講解聖經。這位呂底亞可能是腓立比最早歸主的信徒。可惜好景不常，保羅後來被抓，成了階下囚。他在監獄中的時候，神的恩典和平安仍臨到他身上，結果，監獄成了他另一處的講壇，另一個傳播福音的地方。監獄裡的獄卒，本來與犯人是敵對的，但竟然成為保羅的追隨者，因此獄卒和他的家人，成了腓立比教會的第二批信徒。這件事發生後不久，保羅就被人邀請離開腓立比了。所以，早期的腓立比教會是很幼嫩的，她成立沒多久，就已經遇上不少困難，保羅也因而很想念腓立比的信徒，為他們禱告並經常打發同工前往扶助。

筆者所服侍的教會——中國基督教播道會油麻地道真堂（簡稱油道），一位已安息主懷的前顧問凌召宣先生說過，好的是這教會麻雀雖小，五臟俱全，教會雖然小，但基本的東西都是齊全的；但不好的是它「先天不足，後天不良」。教會搬遷到油

麻地初期，地方狹小，在差不多十年的時間裡，因不打算成為獨立堂會，所以沒有甚麼正式的發展。傳道人是兼職，或經常變更，這構成「先天不足」；同工經常轉換，帶來會眾在適應上有不少問題，演變成「後天不良」。但感謝主，在這樣惡劣的環境下，神興起了很多領袖，教會現任的執事，在教會聚會已有二、三十年以上，他們當年沒有甚麼的訓練，只是出於一份愛教會、肯承擔的心志，便起來承擔了各項工作。就這樣，教會中的「苦海孤雛」最終得以成長，日後甚至很成功、很有成就。在屬靈的旅程上，沒有人帶領仍能茁壯成長，是值得感恩的，然而，「屬靈孤兒」始終是不正常的，我們總不希望「其他小孩」會遭遇同樣的困難。蒙福的信徒，在成長的歷程中，應該有許多值得學習效法的榜樣，有許多的關心才是。保羅認為除了自己和提摩太帶領教會外，也需要有監督和執事興起，一同牧養弟兄姊妹。

II. 積極的參與（一3~8）

第 3 至 8 節論及教會蒙福的第二個原因，是教會參與福音工作。保羅的個性硬朗，他傳福音的熱忱魄力，以及他對真理的執著，都很值得我們學習。但如果今天你跟他一起服侍，也許會很害怕！筆者

曾前往澳門探望一位屬靈前輩，說到我很羨慕他們
有機會接觸到王明道、宋尚節等屬靈巨人，當時他
對我說：「如果你和宋尚節一起事奉的話，可能一
天都忍受不了。宋尚節對自己要求很嚴格的，每次
領會之後，就返回自己的房間，往往禱告三個小時
才去睡覺。他講道的時候，從講台上走到講台下，
又從講台下走回講台上，弄得全身都濕透。」保羅
也是這樣，他對真理的執著，遠超過一般人可以做
到的。然而，這位屬靈上的鐵漢，內心卻有一份柔
情，這在他的信裡表露無遺。保羅說：**我每逢想念
你們，就感謝我的神**；你曾否對弟兄姊妹說：「我
為你禱告的時候，就感到很高興，我經常為你感謝
神！」我們有時候是很冷淡的，總覺得這些話難於
啟齒；但我們應嘗試在聚會結束時，跟其他弟兄姊
妹說一些祝福、想念的話。第4節說：**每逢為你們
眾人祈求的時候，常是歡歡喜喜地祈求**。也就是
說，當保羅禱告的時候，想起某些人，內心就充滿
感恩和喜樂，要做到這一點，大概不會太難。但第
8節：**我體會基督耶穌的心腸，切切的想念你們
眾人；這是神可以給我作見證的**。也就是說，保
羅懷著耶穌基督那般的心腸，來想念、記掛弟兄姊
妹。這表明他對腓立比弟兄姊妹深切的接納、關心
和了解；要做到這點，真不容易！

怎樣才能以耶穌基督的心腸，來關愛身邊的人？我們首先要學習去聆聽。有一些太太，常常投訴伴侶對自己毫無表示，一點愛意也沒有。但太太們有否想過箇中可能的原因？每當丈夫出差，致電回家跟你說：「我很想念你！」你就說：「為甚麼不工作？致電回家太浪費時間了。」那麼，你是叫他以後都不要再撥電話給你了。又或是丈夫在情人節那天買一束花回來送給你，你就問他：「多少錢？」甚至再加上一句，「為甚麼要在 2 月 14 日買，而不在 7 月 14 日買？」這樣，做丈夫的就更加不想表達了！我們不懂得聆聽體會對方，就會令他不想說話，不想分享心中的情意。不過，中國男士往往是過分含蓄的，怕說些「難為情」的話。但其實，說出體會、掛念自己所愛的人的話，並不需要感到難為情，因為這是很健康、很需要表達的東西。保羅看腓立比教會的弟兄姊妹，就像自己家裡的人一樣，所以毫無矯飾地表達他內心想念之情。第 7 節，保羅說：**我為你們眾人有這樣的意念，原是應當的；因你們常在我心裡。**保羅常把腓立比教會的弟兄姊妹放在心裡，視他們為**心上人**！而這段時間，正是他在**捆鎖之中**的日子。

保羅在牢獄中，竟能寫出經常提及喜樂的書信。試想想，莫說要坐牢，就是今天有人給你一封

律師信，你的心情想必會像十五個吊桶般，七上八落、忐忑不安，終日記掛著怎樣應付了。在一個文明的社會，收到一封律師信，尚且會有這樣的反應，何況在當時那種極權，隨時都有殺身之禍的社會？但保羅在牢獄之中，竟然寫下一封經常提及喜樂的信。他說無論自己是在牢獄之中，或者是**辯明證實福音的時候，你們都與我一同得恩**。他知道自己無論在哪裡，腓立比信徒都與他並肩作戰，這點是從這封信很多地方都可以看得出的。例如保羅提及當他坐牢的時候，他們派一個同工來服侍他，當時保羅在羅馬，也許是被軟禁的，因此有一定的自由度，腓立比教會可以派人去照顧他。從腓立比書還可以看到，腓立比信徒經常將金錢或其他需用的東西，託人帶給保羅。腓立比的人更加在禱告中，與保羅在一起並肩作戰。保羅說他禱告的時候，想起腓立比的信徒就感到高興；而腓立比的教會的弟兄姊妹，也時常在禱告中支持他，保羅同樣是腓立比教會的「心上人」，這是一件多麼美麗的事情！

第 3 至 8 節還有一個重要的信息，就是保羅為甚麼會為這間教會感恩。如果單單是因為保羅愛他們、尊重他們，而他們又樂意幫助保羅，這樣的教會跟一個普通社團，又有多大分別？保羅之所以為他們感謝神，第 5 至 6 節說明了箇中原因：**因為從**

頭一天直到如今，你們是同心合意的興旺福音。我深信那在你們心裡動了善工的，必成全這工，直到耶穌基督的日子。保羅所說的頭一天是甚麼意思？上文提過，保羅剛剛來到這地方時，最初接觸到的是賣布的女商人呂底亞，監獄中的一班獄卒，這些人都成了腓立比教會的信徒。他說從頭一天，就是這教會開始的時候，他們便跟他一起，同心合意地興旺福音了。不過，這段經文所用的翻譯同心合意，未必是最準確的。翻譯為同心這個字，原是我們在教會中經常提及的「團契」那個字。保羅說「同心」，是指團契的意思，也許我們亦可以從另一個角度來看，「團契」就是同心的意思。

保羅為腓立比教會感謝神，似乎是因為他們能同心合意地傳福音，但真正的意思並非如此，其實焦點是在頭一天上，他為這教會感恩是因為腓立比的信徒，從一開始，就能同心一致地走在一起做福音工作。我們常常以為，要興旺福音，必須有這樣那樣的資源才可以去做。比如要信主年日較長，受過訓練，有了栽培，才能一同興旺福音。但保羅卻說，腓立比教會的弟兄姊妹，從相信耶穌那一天開始，就與他一起參與福音的工作。在第 6 節，保羅還說：我深信那在你們心裡動了善工的，即是聖靈自己，必成全這工。這工是指第 5 節所說，他們

與保羅一起熱切參與福音事工的那個態度。**必成全這工**，神必定會持續保守他們這種對福音工作的熱忱，**直到耶穌基督的日子**，即主耶穌第二次回來時。腓立比信徒被神感動，參與福音工作，在聖靈的感動帶領下，這善工會延續下去，直到完成它的目標。簡言之，保羅為他們感謝神，是因為他們從信主開始，就與他一起互相搭配，參與福音工作。

曾聽過一位推動差傳工作多年的資深牧者分享，他聽過很多教會或教牧同工講述一些不能參與差傳工作的原因，包括：我年紀太小，經驗不足；教會目前人手不夠、經濟不行等。現在所得的答案是更「聰明」了，他們不會說不做，只說先要準備一下，其實意思就是不去做，亦繼續地不會去做。但是保羅說，他們從頭一天，就是剛信主、剛認識保羅的時候，就參與他的宣教工作了。這種參與，寶貴不在乎其規模，也不在於其所能付上的金錢和力量，而是那種參與投身的態度。腓立比的信徒深覺他們透過保羅，白白領受了神拯救他們的大恩典，所以在自己所及的能力內，盡心參與保羅的工作，即或沒有能力，也藉禱告來支持他。參與是一個態度，這樣的參與就是真正的團契。

甚麼叫做團契？其實並不是指有一個地方，大家年紀相仿，背景相近，能夠經常坐在一起閒聊吃

喝，便是團契。雖然能夠不時一起閒聊吃喝，也很重要。使徒行傳第二章也提及，信了主的人經常一起吃飯，但他們是為了福音。我們聚在一起，要緊的是關心主耶穌所關心的事，讓更多人得著福音。如果失去了這重心，團契就會很容易變為交誼活動，不是真正屬靈的團契了。

III. 不斷的長進（一9～11）

腓立比教會能蒙福的第三個原因，是在第 9 至 11 節保羅為他們所作的禱告。他說：**我所禱告的，就是要你們的愛心在知識和各樣見識上多而又多**，這節經文是很難翻譯的。**知識**這字，有些經文是會譯作**真知識**，因為這字往往指那關乎神的真理，在聖經裡面，出現過好幾次。**見識**這字，在新約聖經裡，只在這裡出現過。**各樣見識**就是許多的見識，我們可以把它視為一種判斷的能力。那麼，保羅的禱告，意思大致是：「你們有這麼的愛心，是很難得的，但我為你們禱告，希望你們這愛心，能夠輔以更多真理上的認識，然後在判斷事非方面，更添成熟。」你們曾否遇過有人這樣為你禱告？覺得你很有愛心，但祈求神更賜你多一點智慧。簡單來說，在我們教會裡面，弟兄姊妹大部分都是比較單純，也包括我自己在內。我在教會的二十五年

中，也遇過不少被人騙的事情。我們的教會在二樓，記得有一次，樓上有一個做生意的，種花的花盆經常漏水，影響我們，我去向他們反映情況，結果給狠狠罵了半小時，還說要寫律師信來告教會。後來教會辦公室的同工告訴我，為何呆著被罵，可以按理反駁，智慧地跟對方解釋理論。我發現同工在「愛心加上知識」上，實在比我成熟。

另有一次我們教會裝修，正要造講台和鋪地毯。我告訴裝修師傅自己的心意想怎樣怎樣，工人突然很生氣，罵了我一頓。幸而一位熟悉工程的弟兄剛好回來，協助調解，令那些工人接受。這令我知道，在愛心之外，還需要在**知識和各樣見識上**的配合，這樣愛心才不會被扭曲，事情也能處理得恰到好處。

有愛心而沒有知識，可以是浩刼。2006年時曾有自稱為牧師的，帶領教會的弟兄姊妹到馬來西亞旅行，一個所謂去禱告的人失了蹤，成為頭條新聞。後來才揭發，這教會裡有很多金錢和男女關係糾纏不清的情況。這類教會有甚麼特徵？她們往往強調領袖有無上權威，要求信徒絕對順服。坦白說，無上權威下做事可能十分有效率，但這不是神的心意！要知道在教會裡，除了主耶穌基督之外，沒有人是至高無上的。因此，那教會的信徒若具有**知識**

和各樣見識，慎思明辨，回到聖經中，去衡量，去判斷，事情可能不會發展到如此地步！在教會裡，我們需要有單純柔和的心，這是好的事情。不過，還須在真理上紮根，因而有能力判斷是非，不會隨便被人矇蔽。

一間蒙福的教會，不可以只側重愛心，亦需要在真理上成長。長大成熟的教會，有甚麼特徵？會有三個特徵。第一，第 10 節：**使你們能分別是非**，也就是說，能夠對週遭的事情，做出正確的判斷，知道甚麼是對、甚麼是錯，作出適當的抉擇。很多人用一句話來總括教育的目的：訓練人做正確的決定。教育最終的目的，是幫助人能掌握足夠的資料，有足夠的智慧、足夠的經驗去衡量各種情況，作出正確的判斷。所以保羅說，他希望腓立比教會更長進成熟，能夠更懂得怎樣面對不同的處境，做正確的判斷。第二，對自己能作一個**誠實無過**的人，有些譯本譯作做一個**無可指摘**的人。也就是說，不單在頭腦上知道種種真理，或不單懂得把真理教導人，而是他自己也能把所學的，應用在自己生命之中，活出真理。知道了事情屬是屬非，便要持守正確的事，靠著神的恩典活出這個真理，成為**誠實無過**的人。第三，**結滿了仁義的果子**，是能夠有美好的見證、生命的果效，並且最終把榮耀歸給神。

總括來說，信徒在真理上、愛心上不斷成長，他便能夠對他自己，對世界，對神，都會有更正面、積極的成長，生命產生美好的效果，成為在世人面前美好的見證。

IV. 結語

一間蒙福的教會，一群蒙福的信徒，或一個蒙福的人生，有三個特徵：第一，他們有領導，有榜樣可追隨；第二，積極、熱切地參與福音事工；第三，持續不斷成長，兼備愛心與判斷是非的智慧。

我們要把這三點積極地應用在自己的身上，不要只當聽眾、觀眾。在教會裡，不要做「獨行俠」，要和別人往來，從一些前輩身上學習，甚或同輩之間，其實也有許多可以彼此學習的地方。不要抱著一種心態，去教會只是聽道，其他的就不管了，我們來教會，不錯是朝見神，但神也吩咐我們，要彼此相愛、學習，不能只是每星期來「朝見神」，卻「目中無人」。要好好學習真理，恆常地上主日學，一個成長的基督徒，必須在真理上打下穩固的根基。

參與是一個蒙福的態度，比其他的一切重要，我有分參與神的工作，便是福氣了。按中國人的傳統價值觀，**福氣**就是我能夠獲取多少：百子千孫、家財萬貫、出入平安等。總之，對個人有所進益的，

就是福氣、是好事。但聖經的人生價值觀是：參與神的國度，神便會記念你，你便是蒙福的人，又能夠持續長進，在榮耀神上多結善果。我希望這是我們人生追求的方向，也是我們教會追求的方向，追求不斷的成長，昨天的成功不可看成永遠的成功！

默想／討論問題

1. 你個人在屬靈成長上，曾遇過生命導師嗎？曾有過學習的榜樣嗎？他／她如何影響你？

2. 你去教會，會否是「獨行俠」，而忽略了與其他弟兄姊妹相交，互相學習，互相支持？

3. 你會否也常常覺得自己有許多不足，未能參與福音的工作？試舉一些自己感到目前攔阻你參與福音工作的困難。其實這又是否是態度的問題？

4. 試反省在愛心與判斷是非這方面，你有甚麼地方要進步？

36

逆境奏樂歌

第二章
蒙福的人生
（腓一 12～26）

腓一 12～26

12 弟兄們，我願意你們知道，我所遭遇的事更是叫福音興旺，

13 以致我受的捆鎖在御營全軍和其餘的人中，已經顯明是為基督的緣故。

14 並且那在主裡的弟兄多半因我受的捆鎖就篤信不疑，愈發放膽傳神的道，無所懼怕。

15 有的傳基督是出於嫉妒紛爭，也有的是出於好意。

16 這一等是出於愛心，知道我是為辯明福音設立的；

17 那一等傳基督是出於結黨，並不誠實，意思要加增我捆鎖的苦楚。

18 這有何妨呢？或是假意，或是真心，無論怎樣，基督究竟被傳開了。為此，我就歡喜，並且還要歡喜；

19 因為我知道，這事藉著你們的祈禱和耶穌基督之靈的幫助，終必叫我得救。

20 照著我所切慕、所盼望的，沒有一事叫我羞愧。只要凡事放膽，無論是生是死，總叫基

督在我身上照常顯大。

21 因我活著就是基督，我死了就有益處。

22 但我在肉身活著，若成就我工夫的果子，我就不知道該挑選甚麼。

23 我正在兩難之間，情願離世與基督同在，因為這是好得無比的。

24 然而，我在肉身活著，為你們更是要緊的。

25 我既然這樣深信，就知道仍要住在世間，且與你們眾人同住，使你們在所信的道上又長進又喜樂，

26 叫你們在基督耶穌裡的歡樂，因我再到你們那裡去，就愈發加增。

在很多的節期，我們都會收禮物，例如情人節收花，聖誕晚會收聖誕禮物，還有父、母親節、生日等，不少人都會送給我們禮物，收禮物後自然會很高興。但當筆者漸漸長大，就發現很有趣的改變，就是往往致送禮物比收取禮物更為開心；或者更清楚地說，收禮物，當然會高興，但能送一份合心意的禮物給所愛的人，不但是高興，且是滿足。舉一個更易理解的例子，就如父母辛辛苦苦預備了一頓美味的飯菜給自己的兒女，吃的人當然會因為美味的食物而開心，但是父母看到兒女喜歡吃自己所預

備的食物，心裡有不可言喻的滿足。在聖經裡面講的那種快樂、那種開心，實是後者。是那種能夠施予，是那種表面上好像失去許多，但其實是真正的富有。

在上一章我們從腓立比書一章 1 至 11 節保羅的問安中，帶出甚麼是蒙福的教會，在一章 27 節，保羅說：**只要你們行事為人與基督的福音相稱**，即是說保羅告訴他們應怎樣做一個基督徒。在這中間的 12 至 26 節一段，就是本章的經文，保羅在教導腓立比人如何活出與福音相稱的生活以先，他講到自己現在的情況，自己怎樣生活，自己怎樣面對福音，這都是他的自白。這是很重要的，腓立比教會怎麼會聽保羅的話？就是他值得聽！如果保羅做不到自己所說的，他的教導就顯得乏力了。筆者在成長的時候，看過很多的老牧者，他們講道的內容可能沒有甚麼特別，但是他本身站出來就是給人一個信息了。站出來的生命值得別人尊重，他講的就有分量了。相傳使徒約翰年老的時候無法站立，只能被別人抬出來講道，最後連講道也講得不好、不清晰了，他被別人抬出來，只是重重複複講著一句話：「弟兄姊妹，你們要彼此相愛！」然後就抬回去了，但是他這信息帶來巨大的影響力，因他所講的，就是他自己生命的寫照。

　　腓立比書一章 12 至 26 節，可分成兩個段落，第一個段落是保羅以自己作為例子，說明能夠祝福別人的原因（12～18 節），在第二個段落，保羅說明他能夠持續地祝福別人的動力是甚麼（19～26 節）。從保羅這段自白的經文中，我們會看見真正滿足的人生，具體地活現在我們眼前。

I.　能祝福別人的原因：勝過困難（一12～18）

　　如果你給困難追上，或者它蠶食你的生命時，你的生命就很難去祝福別人。如果我害怕過去、現在甚至將來，我如何能夠有力量祝福別人呢！保羅在第 12 節說：**弟兄們**，即是說無論是任何信主的人，當然也包括了姊妹。腓立比教會與保羅的關係是很好的，很自然地保羅可以叫他們弟兄姊妹，但是他對於關係不太理想的哥林多教會，同樣也稱他們為**弟兄**（見林前一 10、26，二 1，三 1 等），甚至以手、腳、眼、耳的肢體關係來形容信徒的關係（林前十二 12～27）。所以，弟兄姊妹並不是感受上的稱呼：我今天覺得你好就叫弟兄姊妹，明天覺得你不好就說希望你消失。信主的人，他們在神的國度裡就是弟兄姊妹，這是事實，神拯救我們之後，我們便成為一家人了。羅馬書第八章提到，主耶穌就像一位長兄（羅八 29），使我們都成為在主裡面、神家裡

面的弟兄姊妹。保羅跟著說：**我願意你們知道**，知道甚麼？就是保羅怎樣可以勝過環境，他說我被人抓了，你們是知道的，不過其實這件事情反令到福音能夠更加興旺，甚至在第 13 節說到：**以致我受的捆鎖在禦營全軍和其餘的人中，已經顯明是為基督的緣故**。保羅這裡說到自己坐牢，究竟是指哪一次？聖經裡面提到有幾次坐牢：一次在凱撒利亞．腓立比等待的時間；一次在以弗所，一段比較短的時間；另一次是使徒行傳第二十八章記載的羅馬。究竟保羅在哪個地方寫出包括腓立比書在內的監獄書信？[1] 我認為很可能是在羅馬的那一次，即使徒行傳二十八章的記載，被送到羅馬後，他一直等待上訴凱撒，所以在羅馬有兩年的時間，他租自己住的房子，然後有羅馬的軍隊二十四小時守著，一般的做法會有士兵與保羅相互鎖著，保羅在一邊，士兵在另一邊，每四小時換崗一次。保羅就在這種環境下生活，不過他可以接待別人，有些人可以和他說話，或探望他，他可以比較自由，不像真正的坐牢，有一點像軟禁。通常上訴到凱撒的案件，都是比較

---

1 保羅的監獄書信是指：以弗所書、腓立比書、歌羅西書及腓利門書；提摩太後書也是保羅在監獄中寫的，但這次與其他的監獄書信明顯地是兩個不同的時間及地點，有關討論，請見本書導論，頁 6-14。

嚴重的，可能是因為政治，也可能是道德，也可能是地方官員覺得難審理的，但保羅的案件卻甚麼都不是，保羅是自願上訴到凱撒那裡，為的是宗教理由，原因比較特別。所以，這件事情引起別人注意，保羅說別人也都知道，然後接著說因為這樣的緣故，他的鎖鏈成為傳福音的工具，這樣他就滿足了，他說坐牢也有好處，那個好處是甚麼？第 14 節說：**並且那在主裡的弟兄多半因我受的捆鎖就篤信不疑，愈發放膽傳神的道，無所懼怕。**好處就是有些人會更加努力傳福音，這是第一個反應。第二個反應，記在第 15 節：**有的傳基督是出於嫉妒分爭，也有的是出於好意。**第 17 節也說：**那一等傳基督是出於結黨，並不誠實，意思要加增我捆鎖的苦楚。**他同時發現，有些人傳福音並不是出於誠實，不是出於正確的動機，而是出於嫉妒分爭。甚麼人會嫉妒分爭？留意他不是說那些逼迫他的猶太教徒，因為這裡說那是傳基督的，所以一定不是猶太教徒，猶太教徒是不會傳基督的，那麼這些是誰？解經家對此有許多推測，較可能的是那些原本在羅馬城裡的基督徒。即是說，腓立比當地基督徒聽到有一個很有名氣的保羅，從耶路撒冷一直上訴到這裡，他到羅馬本來是坐牢的，誰知道他竟把監房變成教堂。他把捆鎖變成傳福音的工具，包括那些與

他連鎖的士兵，那些和他同囚的犯人，「逃不脫」之下便要聽他講，很可能羅馬本地教會的人這樣想：這裡是我的教省，我的地方，保羅進來本是坐牢的，但現在有更多人到監獄聽他講道。他們覺得自己受到威脅，便更加努力傳福音，保羅說這個動機不良。若是你根本不傳福音，這種問題便不會出現；但若你很努力傳福音，你便可能有這種情況。其實這兩千年前發生的事，今天我們都不應該覺得陌生，講得好聽點是良性競爭，但其實是動機不太正確，害怕別人比自己多做了，令到自己「吃虧」，這樣傳福音便是出於嫉妒分爭，動機不良了。

保羅當時面對著兩個困難，一是鎖鏈的問題：環境是不如意的；二是心境的問題，當那些人嫉妒分爭，保羅說這樣的結果就是在第 17 節說的：**要加增我捆鎖的苦楚**，但第 18 節保羅跟著說：**這有何妨呢？或是假意，或是真心，無論怎樣，基督究竟被傳開了。**然後作結：**為此，我就歡喜，並且還要歡喜。**這是他加強語氣地表達他十分快樂。

香港人經常受騙，甚麼街頭補藥黨、祈福黨等，其中一個原因就是香港人害怕吃虧，一聽到有人說有東西送，就會問在哪裡？不用錢的，馬上便去排隊。我們害怕吃虧，這種害怕吃虧的心令我們很多時不開心，特別在人際關係上，或許我們想我這樣

對他，為甚麼他會那樣對我！我這樣為他，為甚麼他沒有向我報答！我們接受不了任何好像對自己不公平的對待。但是保羅這裡留下的是甚麼榜樣？面對捆鎖、動機不良、不公平……保羅卻說：**這有何妨呢？**原來他整個心意，已放在耶穌基督的身上，這些事情若能夠令耶穌基督的福音更加傳開的話，他就已歡喜，而且還要歡喜了。

　　這裡我想到聖經裡另一個人物：施洗約翰，他可能是耶穌基督的表哥，是祂的先鋒。施洗約翰有一句說話成為我做傳道的座右銘，當時很多他的門徒都跟隨了耶穌，施洗約翰卻說：**他必興旺，我必衰微。**（約三30）有哪個人在發展自己的人生與事業時，希望自己衰微呢？有哪個人期望自己子女成長，說我希望他們衰微？反過來說倒容易得多！但當人能夠為了主，將神放在人生的首位時，其他的得失對他便是次要了、很微小了。我們又試問，我怎麼知道耶穌基督在自己的生命裡，居很重要的位置？筆者舉一個例說，就如我們怎知道我們是真心地愛自己的配偶？或者怎樣知道你的男朋友或女朋友是真心愛你？就是當有一些利害衝突時，他肯吃虧，你就知道他是愛你的了。當我們對得失看得重，由早到晚都是在想誰對不起我，誰得失了我，誰令我很氣憤，想著想著，睡不著覺，吃不下飯，憤憤

不平，你就該知道原因不是那個人，不是那個環境，而是我們沒有把神放在應有的位置上。看看，保羅把基督放在首位，並以此為滿足：**無論怎樣，基督究竟被傳開了。為此，我就歡喜，並且還要歡喜。**

中國教會有一位偉人，備受尊敬，名叫倪柝聲。雖然在神學上筆者有很多地方與他的見解不同，但筆者認同他是非常偉大的傳道者。他的詩歌影響了很多人，他的講道被稱為中國教會裡最具影響力的，他的奉獻也是非常徹底。這麼有名氣的人，當然會有很多讚賞的話，也同時有很多批評的聲音，他曾開辦一間教會，名叫小群教會，是使用路加福音的背景，**你們這小群**這個字（見路十二 32），但這小群教會，實際上是一點也不小，在中國未變色前，是全中國會眾最多的教會。有一次有人與倪柝聲說：「有人說你，批評你，為甚麼你不解釋一下？」倪柝聲就說了一句話，給筆者留下很深刻印象，他說：「無論是人將我吹捧上天的那個倪柝聲，或者是別人將我踩到地底下的那個倪柝聲，我這個倪柝聲其實從頭到尾都沒有改變過，都是那個人。這只不過是別人的看法，我的責任是忠心完成神要我做的工作。」試想一想，今天有多少牽動你情緒的問題是基於別人對你的看法？公司的上司怎麼看我，同事怎麼講我，甚至家人是怎麼待我……這表明甚

麼？從這段經文的教導來看，其實就是表明我沒有將基督放在應該有的位置上，人生裡我就用自己的方法，和別人比較，想一路向上爬，要證明給別人看自己是能幹的。這是錯誤的人生觀！這個人生觀只會令你甚麼都抓得緊緊的，任何風吹草動都會掀起你極大的情緒波動。保羅以身作則說明他得喜樂的原因，是因為基督的福音被傳開；個人得失，他沒有放在心上。說得具體些，保羅雖身繫囹圄，但心靈記掛著基督天國大業。如果我們今天的所關注的仍離不開「地平線」的事，我們就沒法得著保羅所講的**歡喜，還要歡喜**的真正滿足快樂。

II. 祝福別人的動力：活在互相建立的群體
（一19~26）

上文看到保羅能夠祝福別人的原因，是他懂得怎樣從神的角度處理自己人生的困難，至於他那祝福別人的力量、動力，是在於下文所講的：他能夠連於互相支持的群體。在第 18b 節，他說：**為此，我就歡喜，並且還要歡喜**。接著第 19 節說，因為給我知道了一件事情：**這事藉著你們的祈禱和耶穌基督之靈的幫助，終必叫我得救。耶穌基督之靈**即是聖靈。這裡的**得救**有多個解釋，但大致上有兩個主要的方向，第一，是終必叫我能夠在神面

前得到我應該得到的獎賞，在腓立比書其他地方都有類似的意思（三 12）；第二，我想在這段經文裡最自然的解釋，是事情能夠得到了解決。舊約與新約都有同樣的用法，例如給別人抓去坐牢，放了出來叫得救；一場戰爭有軍隊圍困著，現在打勝了那就叫作得救；在屬靈方面，我本來是給罪惡捆綁，現在神幫我解決了，也是叫作得救。保羅這裡說的兩句話，在文法上面，是一個冠詞然後下面兩句說話，表明這兩句話，即腓立比教會的禱告和耶穌基督的靈的幫助，是兩件不能分割的事情。他們禱告，同時也是神聽他們的禱告，保羅相信自己便會得到釋放。**得救**我相信這裡是指，保羅會從羅馬監獄得到釋放，事實上保羅坐牢兩年後，真的獲釋，還去了以弗所一帶的地方傳道。

在上文當保羅問安、感恩、代禱時，經常提到腓立比教會是他的「心上人」（一 7），經常想著他們，然後保羅說到其實我現在坐牢，你們的禱告是會幫助我的。使我們看到保羅怎麼能夠有力量去祝福別人，正是因為他心裡面是被祝福的，他需要並樂意接受腓立比教會的祝福。

保羅不單欣賞腓立比教會為他的祈禱、對他的祝福，同時保羅也愛腓立比教會，並祝福他們。保羅如何祝福腓立比教會？保羅面對生死抉擇這兩難

的局面時，即是究竟他要為腓立比教會而生，還是為了要快些看見基督而死。死，對保羅而言並不可怕，甚至他說：**死了就有益處**（一21），因為他死了便不用等到基督再回來時才可親眼看到祂，而是可以立刻與祂同在（參看路二十三39~43），保羅認為**這是好得無比的**（腓一23）。但保羅選擇為腓立比教會而活，因為保羅很坦然承認，他繼續活著，是可以叫他們的信心繼續長進，也因而**在基督耶穌裡的歡樂……愈發加增**（一26）。我們可以說，離世與主同在是保羅最喜樂的事情，但他願意為了腓立比的信徒而放下這個選擇，目的是叫他們在真道上得著快樂的生命。對保羅來說，他早已立定心志，**無論是生、是死、總叫基督在我身上照常顯大**（一20），因此活著是為了基督，死了就去見基督，兩者都是他所喜歡的，但保羅永遠將信徒的好處放在他個人的意願之上，所以他選擇了為要建立腓立比教會而繼續活下去。換言之，保羅願意以他的生命及事奉祝福腓立比教會，而腓立比教會也切實關懷他們的牧人保羅，用實際行動及祈禱祝福保羅的生命，就是因為這樣深厚的情誼，保羅能處變不驚，腓立比教會也能活出快樂平安的福音。像保羅這樣的「牧者情深」，今天實在少見，相信也是很多信徒心底裡的渴求；同樣地，腓立比教會愛護自己的

牧人，是今天很多以牧者為雇工的教會所不能明白
的。難怪很多牧人及信徒，在教會中仍沒法獲得平
安與喜樂，那就更不用說在這個敵視神的世界中，
如何可以活出我們應有的信仰生活。

　　弟兄姊妹，你有沒有學習接受別人的關心，接
受別人的祝福？還是你害怕退縮？因害怕別人的傷
害，便將自己關閉起來，但這樣做只會繼續活在黑
暗中，永遠不會尋得出路，相反地，如果能望著光
明的出口，我們最終便能離開陰暗的生命。

III. 結語

　　在完結這個重要課題前，筆者再次強調，蒙福
的人生，就是能夠祝福別人並蒙別人祝福的人生。
基督徒所論及的福，並不是像世人所說的福，而是
指從耶穌基督所成就的福音的角度去看。從腓立比
書一章 12 至 26 節，保羅以自己的處境，說明生命
中關注的並不是個人的榮辱得失，而是福音是否被
傳開，信徒的生命是否活出福音的效果。這段經文
一開始，保羅就說他所遭遇的事，**更是叫福音興旺**
（一 12），而在這段經文差不多結束的地方，保羅
說他選擇為腓立比信徒繼續活下去，為的是**使你們
在所信的道上，又長進又喜樂**（一 25），請留意，
興旺及**長進**在原文是同一個字（*prokopē*），意思是

發展及促進，他用同一個字首尾呼應傳達他的信息：蒙福的人，就是以興旺福音作為自己生命目標的人。

如果沒有把福音放在生命中首要的位置上，我們是沒法得到真正滿足的人生。請停一停，想一想，現在你生命中若缺乏力量，真正的原因是否因為沒有將主耶穌的福音放在你生命的首位？用另一個角度看，如果你將福音放在生命的最優先位置，想想你的生命將會有甚麼不同？願你在正視這個重要的課題時，你能夠再次重新得力去祝福別人。

默想／討論問題

1. 中國人有一句說話：「力微休負重、言輕莫勸人」，你覺得這話有智慧嗎？保羅又怎樣勸勉他人？

2. 二千年前在教會中便有「山頭主義」，結黨分爭，現在你的教會有這樣的情況嗎？你痛心嗎？試討論怎樣才能避免這情況。

3. 你受過不公平的對待、無理的責難、莫名其妙的攻擊嗎？你能否說出「這有何妨呢？」你覺得你說這話時的心態會是消極還是積極？是憤憤

不平還是得著平安？你覺得保羅說這話時的心態如何？他如何能夠說出這句話？

4. 你曾關心別人，又曾被別人關心嗎？關心人與被人關心的感覺如何？信徒的生命豐富是否與信徒間的相互關懷祝福有關係？試分享大家的看法。

5. 你活著是為了基督嗎？有沒有具體地計劃、實踐過這目標？試分享你的經驗。

第三章
建立蒙恩而謙卑的氣質
（腓一 27～二 11）

腓一27～二11

第一章

27 只要你們行事為人與基督的福音相稱，叫我或來見你們，或不在你們那裡，可以聽見你們的景況，知道你們同有一個心志，站立得穩，為所信的福音齊心努力。

28 凡事不怕敵人的驚嚇，這是證明他們沉淪，你們得救都是出於神。

29 因為你們蒙恩，不但得以信服基督，並要為他受苦。

30 你們的爭戰，就與你們在我身上從前所看見、現在所聽見的一樣。

第二章

1 所以，在基督裡若有甚麼勸勉，愛心有甚麼安慰，聖靈有甚麼交通，心中有甚麼慈悲憐憫，

2 你們就要意念相同，愛心相同，有一樣的心思，有一樣的意念，使我的喜樂可以滿足。

3 凡事不可結黨，不可貪圖虛浮的榮耀；只要

存心謙卑，各人看別人比自己強。

4　各人不要單顧自己的事，也要顧別人的事。

5　你們當以基督耶穌的心為心：

6　他本有神的形象，不以自己與神同等為強奪
　的；

7　反倒虛己，取了奴僕的形象，成為人的樣式；

8　既有人的樣子，就自己卑微，存心順服，以
　至於死，且死在十字架上。

9　所以，神將他升為至高，又賜給他那超乎萬
　名之上的名，

10　叫一切在天上的、地上的，和地底下的，因
　耶穌的名無不屈膝，

11　無不口稱耶穌基督為主，使榮耀歸與父神。

　　有一個媽媽有兩個兒子：大 B 和小 B。兩人經
常在家裡爭東西吃，要吃最好、最多且最大份的。
那位母親就教導他們說：「大 B、小 B，你們聽我
說，如果主耶穌在這裡，你們猜想祂會怎麼樣做？
祂一定會讓那些最好、最多且最大份的東西給對
方。」大 B 聽完後，想了一想，然後對小 B 說：
「小 B，那麼你就做主耶穌吧！」

　　很多時候我們都是一樣，我們都知道主耶穌是

好榜樣，但是如果你以主耶穌的樣式待我，令我舒服、方便一點，那就更好了！保羅從開始的問安，及至說了自己的見證後，在一章 27 節至二章 11 節，就進入他對腓立比教會的提醒。這段經文可分為三個段落，保羅說如果要做蒙恩的人、有福的人，能夠祝福別人的話，首先要：第一，懂得怎樣面對這個世界（一 27～30）；第二，要學習怎樣面對自己（二 1～4）；第三，最後是具體例子，以主耶穌作為榜樣，並加上結語（二 5～11）。

I. 學習面對世界（一 27～30）

保羅說如果你想生命豐盛的話，就應學習怎樣回應這個世界。套上這段經文的主題角度來說：若你想要祝福別人的生命，你就要學習該怎樣去面對這個世界，第 27 節說：**只要你們行事為人與基督的福音相稱**，這是這段經文裡最重要的一句，保羅的教導，就是以這個為中心。信耶穌與其他的宗教有不相同的地方，其他宗教可能說我進到廟裡參拜，我做一些善事，我支持一些善工，或者我持一些這樣的信念，就可以「功德圓滿」了。但是相信耶穌，卻是請祂進到自己生命的每一個層面、每一個角落，你每一個時段都是讓神來掌管，包括你在主日崇拜散會後上茶樓，記得你是帶著信耶穌的身

分去的；你明天上班時，你是帶著自己相信耶穌這個身分回到公司去的。保羅說：**與基督的福音相稱**，他用一個特別的字眼：**相稱**，這個字原本的意思，是指如果你是哪個國家的公民，你就該守哪個國家的法例，履行哪個國家的要求，然後才配得上做哪個國家的子民。這正是整個主題思想，一開始提醒腓立比教會時，保羅便說：「我希望你們的人生能夠與你自己相信的福音相稱」。事實上，很多時候非基督徒也是用這句話來評價我們。我想非基督徒聽過福音後仍不相信，其中一個可能的主要的原因，是他曾見到一些很不像樣的基督徒！令他心裡忖量：「信耶穌信得像你這副樣子，不信也罷了！」他們所見到的人，生活的言行與所相信的福音毫不相稱，結果福音不但對他們自己沒幫助，他們也成了別人信主的攔阻。

第 27b 節說：**叫我或來見你們，或不在你們那裡，可以聽見你們的景況**，意思是：你不是要做給我看，不是做給你的導師、團契牧者看，而是無論是否有人在，無論是否有監察，你都要生活得與福音相稱。接著保羅便說你要小心一件事情，如果你能夠這樣站立得穩，就要第 28 節的：**凡事不怕敵人的驚嚇**。這個世界，當然最終的勢力是來自神，但同時間也不可輕看魔鬼，他的攻擊是叫人離

棄這個信仰的,他透過不同方法、人事與環境,叫
人放棄。他突然跳到宏觀的角度來看這世界的歸
宿,說:「他們沉淪,你們得救」,用我們今天的說
話來說:終極世界只有兩類人,一類去到地獄裡,
另一類則到天堂去。我們遇見困難的時候,很多時
就只是看到困難的本身,埋怨為甚麼相信耶穌之後
還會有這麼多困難!保羅要人望向遠處,望向世界
的終極,因為從終極來看,一切都是出於神,最終
都是神掌管這個世界,掌管屬於祂的人的生命,你
就不需要害怕了。

　　不知道你是否希望自己的生命能夠成為周遭的
人:家人、同事、親友、弟兄姊妹的祝福?一個很
重要的因素是你要去「面對」,就是你要懂得怎樣
去「面對這個世界」。第 29 至 30 節:**因為你們蒙
恩,不但得以信服基督,並要為他受苦。你們
的爭戰,就與你們在我身上從前所看見、現在
所聽見的一樣。**保羅說這個世界充滿了敵人、攻擊
及困難,他給他們示範的例子,就是自己怎樣在捆
鎖的時候,仍然可以祝福別人,然後說如果你能夠
面對這個世界的話,你就能夠祝福別人了。為甚麼?
如果你將自己的精力、時間、才幹,浪費在害怕這
個,害怕那個,害怕別人的攻擊,又害怕自己陷在
困難裡;經常想著怎樣才不會得罪人,怎樣才不會

碰釘子，怎樣才不會給人家說閒話等，好像喪失了為主而活的心志，那麼你是很難去祝福別人的。從約翰一書的角度來看，也即是說**愛裡沒有懼怕，**為甚麼人會懼怕？約翰說，就是因為沒有愛。不把目光放在神身上，面對困難時，便像赤手空拳，感到懼怕。當你眼光集中在困難時，你怎可能注意到神給我們福音的使命：要祝福別人？

II. 學習面對自己（二1～4）

二章 1 至 4 節這段經文非常豐富，保羅用字簡潔、結構精密，表達另一個思想。表面上保羅好像說該如何同心，這當然也是他所說的一個重點，但當讀下去時，你就會發現他聚焦在原因上：就是自己的內心世界。在二章 1 節，保羅說明同心的原因、基礎：**在基督裡若有甚麼勸勉，愛心有甚麼安慰，聖靈有甚麼交通，心中有甚麼慈悲憐憫，**四句平行句子說明同一件事。他說要同心的話，我們要有重要的基礎：在基督裡我們可以彼此勸勉，愛心是動力，然後聖靈會幫助我們溝通，最後靠著神的慈悲憐憫，成就了這勸勉，我們能夠與福音相稱，面對世界、眾人。接著第 2 節，保羅提出在這基礎上要做些甚麼？也是四個句子：**你們就要意念相同，愛心相同，有一樣的心思，有一樣的意念，**

其實這裡中文聖經翻譯得好，一個**相同**，另一個**一樣**，已將原本的意思表達出來：我們應該愛心、心思、意念都相同。簡言之，就是在這個基礎上，我們要同心合意。

第3、4節就說出：在說明基礎及目標後，就論到需要的方法。第3節是負面的方法，第4節則是正面的方法。從負面說：**凡事不可結黨，不可貪圖虛浮的榮耀**；然後正面說：**只要存心謙卑，各人看別人比自己強。各人不要單顧自己的事，也要顧別人的事。凡事不可結黨**，是與他人的關係；**不可貪圖虛浮的榮耀**，是自己的心態；**存心謙卑**，是自己的心態；**各人看別人比自己強**，是對他人的關係。這四句話是彼此呼應的：**凡事不可結黨**，這是對他人的；正面來說，要**各人看別人比自己強。不可貪圖虛浮的榮耀**，這是心態；正面來說，**只要存心謙卑**。

我們再看看結黨的原因，哥林多前書第一章提到：**我的意思就是你們各人說：「我是屬保羅的；我是屬亞波羅的；我是屬磯法的；我是屬基督的。」**是一組組的。結黨的原因很多，有的為要依附名人，令自己與別人不盡相同，有些信徒會這樣說：「我是某某大牧師為我洗禮的，我見過某某大講員並與他握過手。」好像這樣說，自己身價便高

一點。有的看到自己很能幹，需要有一個「地盤」鞏固勢力似的。有的是自己與一些人看法相同，談得投契，走在一起的等。但保羅的說法是，這都因為我們看得自己太重了，所以他正面地說：**各人看別人比自己強**。這句話曾令我大惑不解，甚麼叫作**各人看別人比自己強**？例如我唱歌唱得不錯，有一個人五音不全，我是否仍要說他唱歌是比我好嗎？又是否做每一件事，我都說自己是最差的，甚麼事情別人都比我能幹？但你心裡不是這樣想的，若凡事都以別人比自己好，那還算誠實嗎？其實這個**強**字的意思，並不是指能幹或不能幹，而是指重要或不重要。為甚麼會結黨？或說怎樣才可以不結黨？就是各人要看別人比自己更重要。當你看到別人比你重要的時候，你就自然不會去結黨了，這正是古往今來結黨分派的核心問題，保羅一針見血地說明出來！

西方小孩子常唱一首詩歌叫作 JOY，J 代表耶穌（Jesus），O 代表別人（Others），而 Y（Yourself）就是你自己。那麼怎樣才能夠得到 JOY？得到開心？就是耶穌第一，別人第二，自己第三，那麼你就是真的開心了。當我們看重對方時，我們就能夠學習同心合意。

結黨都是根源於貪圖榮耀的心態，我第一次讀

神學的時候，有著名的牧人鮑會園牧師作我們的院長，我們經常都說自己是「鮑門弟子」，自己好像很「威猛」一般，其實鮑牧師是全不知道的。這就如看電影時黃飛鴻的那些徒弟也這樣說到：「我是黃飛鴻的徒弟。」雖然黃飛鴻是謙卑的，他的徒弟卻不安分而已。例如我們有老慕賢教授教我們音樂，她是香港有史以來最大的華人詩班「基督精兵詩班」的指揮。她懂得彈奏十種樂器，應該這樣說，她是教十種樂器的老師，她經常說要多學一些樂器，將來去宣教可能沒有鋼琴，你可以隨手拿起一件東西都可以當作樂器！有她來教導我們，那麼我們就覺得很自豪了，其實那是將自己虛浮的榮耀，投射到這些名人的身上。那麼應該怎麼樣？便是**只要存心謙卑**。

III. **學習終極榜樣**（二 5～11）

甚麼是**謙卑**？甚麼是**看別人比自己「重要」**？保羅轉到第三個段落，起始便有第 5 節這轉折句：**你們當以基督耶穌的心為心**，像耶穌那樣做就可以了。那麼耶穌是怎樣做呢？第 6 至 11 節這段經文明顯分成兩個階段：第 6 至 8 節是主耶穌由高變低；第 9 至 11 節是主耶穌由低變高。第 6 至 8 節清楚指出耶穌的謙卑。我們可能有不同程度的謙卑，但是

並沒有人好像主耶穌的謙卑那般絕對，第 6 節：**他本有神的形象，不以自己與神同等為強奪的**，祂本來就是神，但祂不將自己這樣看，保羅舉出這例子說明該怎樣謙卑。我們許多時謙卑都是附有條件的：他對我好，我就對他好；他謙卑，我就謙卑點；他那麼驕傲，那麼我謙卑不是很吃虧嗎？我肯定要回敬他一點顏色！

主耶穌本來是與神**同等**的。有一個異端名叫耶和華見證人會或守望台。他們的信徒是非常積極地傳教，香港大約有兩三千人，但是大部分的香港市民都曾接觸過他們。平均來說，他們每一個禮拜有四天會做傳道的工作。可惜，他們走錯了最基本的路，他們不認為耶穌是神。聖經清楚說到：**他本有神的形象**，所以他們讀到這段經文時，便乾脆把它修改了。他們出版《新世界譯本》，將這段經文它另行翻譯。即是說他們用自己的信仰去改變聖經，但我們的立場是聖經決定我們的信仰。

強奪是說抓得緊緊的，我不會放下這個東西，是因為我本來便有這個權利，耶穌是榜樣，祂是神，但祂不緊抓這地位。怎樣叫作**謙卑**？就是放下你本來合理的權利！

然後第 7 節說：**反倒虛己，取了奴僕的形象，**

成為人的樣式，請留意，主耶穌並不是放下自己不再做神，從上文下理看，說的只是放下自己的權利，不是放下祂的神性、部分的神性，或神的身分。就像皇帝微服出巡，願意與老百姓一起生活一段時間，其間他放棄作皇帝的權利，不過耶穌所作更加徹底。聖經說耶穌不抓緊祂自己與神同等的這個權柄，反而放下這個權利，取了最差勁的形式：成為了**奴僕**，成為了**人**。如果用以賽亞書所說的，就好像是被宰殺的羔羊。大家有否留意到，聖經裡怎樣形容耶穌的樣貌？我們看到一些畫像，祂不是很英俊嗎？好像電影明星一般嗎？但聖經上說，祂無佳形美容，祂貌似如根，不但如此，更是出於旱地的根，聖經形容得最醜的人可能是耶穌！

祂不但放棄了外貌、權利，第 8 節說最後祂卑微到死在十字架上。為甚麼保羅會特別提到這件事情？腓立比這羅馬帝國中的「特區」，裡面大部分都是羅馬的公民，羅馬公民有一個特權，無論他犯了甚麼法，都不會被釘十字架的。十字架這刑罰只加諸於非羅馬公民身上，人在十字架上受羞辱，慢慢流血痛苦而死去，是羅馬帝國最殘酷的刑罰。保羅以耶穌為例，**死在十字架上**，是謙卑的終極典範，腓立比教會的人無法比祂更謙卑。同樣，今天我們也沒有一個人，可以比主耶穌更謙卑；也沒有

一件事情、一個情況，可以比主耶穌所做的更謙卑。保羅說你不要貪圖自己的榮耀，要心存謙卑，好像主耶穌那樣！

　　主耶穌由至高跌到至低後，接著神把祂由至低升回至高（二 9～11），因為祂本來是配得至高的。請留意這裡說：**所以，神將他升為至高，又賜給他那超乎萬名之上的名，叫一切在天上的、地上的，和地底下的，因耶穌的名無不屈膝，無不口稱耶穌基督為主，使榮耀歸與父神。**這裡非常清楚指出，主耶穌是完完全全的神，祂不只是先知、偉人、聖人、絕佳的講員，祂更是神給我們敬拜獨一無二的對象。這位敬拜的對象，竟然曾經死在十字架上；創造世界的主，竟然死在自己所創造的木頭上；創造人生命的主，竟然成為軟弱的小孩，道成肉身來到這個世界；本來掌管人類、滿有權柄、審判人的主，竟然在彼拉多手下接受審判；本來是生命的主，竟然最後要三天在墳墓裡；本來賞賜人生命的永活神，竟然經歷到死亡；本來萬有的主，最後竟然孤獨面對十字架的苦害。你看到這些對比的時候，你就知道聖經上面所說的**謙卑**是甚麼意思了，**謙卑**並不是我忍讓一下，不去計較，不好作聲，**謙卑**是我好像主耶穌那樣，本有權利，但我順服神，放下自己應有的權利。

IV. 結語

有一個富翁經常不開心，於是請教一位猶太拉比，問他為甚麼自己這麼富有仍經常不開心？他努力工作，沒有做壞事，勤快地賺錢，又有這麼多享受，為甚麼他仍是不開心？這位拉比就把他帶到窗前，透過玻璃看外面，問他說你看到外面些甚麼東西？富翁就說，看到外面街上有許多人，有男有女有小孩子，拉比聽完就說他視力正常，看得很好。跟著帶他回家看另一樣東西。回到家裡叫他看一面鏡子，然後問他在鏡子裡看到些甚麼？他回答是看到了自己，拉比又說他視力正常，看得非常的好，沒有甚麼問題！拉比接著問富翁是否看到兩者的分別？兩塊都是玻璃，一塊他可以望穿看到別人，另一塊你看不到別人，只看到自己，分別則是一層的水銀！

如果你在自己的人生裡，塗了一層「水銀」，這層「水銀」便是：我無論如何也不會放下自己的權利，我無論如何也不會謙卑，我無論如何也不會用神的方法去活出與這個福音相稱的生命。星期天回教會，聽聽講道是沒打緊，不過要我放下自己給神，無論如何辦不到。你抓緊這層「水銀」，就難怪你看不到別人，只看到自己了。但如果你能除掉它，你就能夠從神的角度看到別人，就能夠看別人

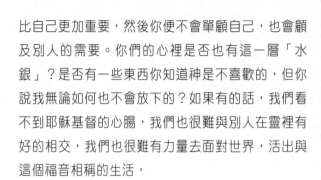

比自己更加重要，然後你便不會單顧自己，也會顧及別人的需要。你們的心裡是否也有這一層「水銀」？是否有一些東西你知道神是不喜歡的，但你說我無論如何也不會放下的？如果有的話，我們看不到耶穌基督的心腸，我們也很難與別人在靈裡有好的相交，我們也很難有力量去面對世界，活出與這個福音相稱的生活，

若想我們的生命活得更加精彩，我們今天在神的面前說：「我願意放下，好像主耶穌一樣。求神幫助我！」

默想／討論問題

1. 保羅說：「行事為人與基督的福音相稱」，試檢視自己的生命，我們的行事為人怎樣？與福音相稱嗎？試與組員分享。

2. 保羅要我們怎樣看困難、看世界？你如何面對困難？面對世界？經常有害怕的情況出現嗎？害怕些甚麼？試與組員分享。

3. 你如何面對自己的內心世界？有強烈的虛榮心態嗎？喜歡結黨爭競、依附權貴嗎？你可以如何克服這些問題？

4. 你能夠面對世界、面對自己的話，便能祝福別
   人。會如何實踐？保羅又是怎樣教導？

第四章
建立順服而喜樂的氣質
（腓二 12～18）

腓二 12～18

12 這樣看來，我親愛的弟兄，你們既是常順服的，不但我在你們那裡，就是我如今不在你們那裡，更是順服的，就當恐懼戰兢做成你們得救的工夫。

13 因為你們立志行事都是神在你們心裡運行，為要成就他的美意。

14 凡所行的，都不要發怨言，起爭論，

15 使你們無可指摘，誠實無偽，在這彎曲悖謬的世代作神無瑕疵的兒女。你們顯在這世代中，好像明光照耀，

16 將生命的道表明出來，叫我在基督的日子好誇我沒有空跑，也沒有徒勞。

17 我以你們的信心為供獻的祭物，我若被澆奠在其上，也是喜樂，並且與你們眾人一同喜樂。

18 你們也要照樣喜樂，並且與我一同喜樂。

這段經文結束時，保羅勸導腓立比信眾要與他一起**喜樂**（一 17～18）。**喜樂**可以說是腓立比書

突出的主題：保羅要求我們開心。大家當然希望能夠開心生活，不過大家是否懂得真正的開心？幾年前我在芝加哥，看到一則這樣的新聞，有兩個少年人在玩新產品水槍，這種水槍是挺厲害的，威力像汽槍一般。他們你射我、我射你的玩著。最後，其中一個少年人說不要再射我啦！但另一個說我非要射你不可，結果那個被射的少年人，就返家拿出一把真槍，開槍將對方打死了，真是樂極生悲。這是很極端的情況，不然不會成為新聞了。但這種得意忘形，樂極生悲的情況在我們成人世界裡，也是屢見不鮮的。以為滿足了自己的慾望便是開心，看到好吃的東西，自己吃就開心，別人吃就不開心；看見漂亮的衣服，穿在自己身上就開心，別人穿上就不開心！這些例子明顯可見，人的開心是指能否滿足自己的慾望。如果這樣想，我們實在不懂得甚麼是真正的開心，即聖經所說的**喜樂**了。

I. 喜樂的表現——順服 (二 12~14)

　　保羅在第 12 節開始時說：**這樣看來，我親愛的弟兄，你們既是常順服的**，保羅這裡帶出的是**順服**，上一段說的**喜樂**與**順服**怎麼會連在一起？這兩件事好像是「牛頭不對馬嘴」的，但是，保羅把它們放在一起。順服表示甚麼？順服就是我要聽你

說，我要放下自己，我要與你合作，像受委屈一樣，你說我怎麼會開心？在我們的人性裡，我們總覺得喜樂就是滿足我的想法，順服就是滿足你的想法，兩樣東西是剛好相反的。怎樣能夠會因為順服而有喜樂？神如何教導我們做「真正開心」的人？

保羅所說的喜樂生活，特徵就是順服。上文二章 6 節說耶穌基督不以自己與神同等，第 8 節更說：**就自己卑微，存心順服，以至於死，且死在十字架上。**他說耶穌基督的榜樣是謙卑，祂謙卑的具體行動就是順服：順服至願受十字架的苦痛。如果耶穌基督的謙卑是我們的榜樣，我們便應該學效祂的順服。他這樣勸勉腓立比信徒過另外一種氣質的生活：**這樣看來，我親愛的弟兄，你們既是常順服的……更是順服的。**

第 12 節最後那句說到：**就當恐懼戰兢做成你們得救的工夫，做成你們得救的工夫**是甚麼意思？這裡並不是說得救要靠我們的努力。得救是出於神的恩典，不是人可以自誇的，是神親自的作為，使我們「因信稱義」，因著信而得到這個寶貴的救恩。基督徒的救恩，從來不是自己修行、事奉的成果，而是神藉著聖靈重生了我們，給了我們新的生命。例如神給父母生殖的能力，將小孩子帶到世上來，是祂給人奇妙的作為。小孩子出生後，父母儘

量鼓勵他、幫助他，給他營養、運動、訓練等，他慢慢便成長。生命當然不是小孩子自己可以控制的，他來到世上，是神的恩典，不過，這個生命怎樣能夠健康成長？就靠後天培養和他自己的努力了。保羅在這裡說，神拯救你，你便要將祂的**工夫**、恩典活出來、實踐出來，又要**恐懼戰兢**。順服已經很難，還要小心認真地回報神，將祂給我拯救的恩典表現出來。保羅說無論我在或不在你們當中，即是說無論甚麼時候，別人見到也好，見不到也好，你也要將這個得救的工夫、恩典，用你的順服戰兢地表現出來。

　　第 13 節說：**因為你們立志行事都是神在你們心裡運行，為要成就他的美意。**運行這個字是很特別的，中文很難翻譯出來。它有動力的意思，就是說神在你的心裡使你滿有動力（energize），也即是說祂成為你的動力（energy）。我相信如果你沒有信耶穌，是很難明白的。基督徒經常說：「感謝神！這不是我做的，是神的幫助！」你有聽過這樣的說話？你看見某人性格改變了，以前是很暴躁的，現在平和多了，你問他為甚麼會有這樣的改變？他會告訴你其實不是他自己的能力，而是神的幫助。以前經常愁眉苦臉，終日眼淚洗臉，現在開心得多了，你問他，他多半說不是因為我自己，而是

神幫助了我。明明是自己在改變,為甚麼會說是神的幫助?神雖是看不見,但我們知道祂是在我們心裡運行的那個力量,順服這力量才可以有那個「生命的改變」。

保羅說怎樣才會喜樂?他說順服神;那麼反過來說,怎樣會不喜樂?就是不順服神。不順服神是怎樣的呢?第 14 節說:**凡所行的,都不要發怨言,起爭論**,不順服神的一個特徵,就是發怨言、起爭論,你試想一想,剛才的例子,兩個人在玩水槍戰,本是很開心,但最後是悲劇收場。兇手的想法是我射你便開心,那麼你射我當然是不開心了。

一個人不斷自我膨脹,不斷滿足自己的慾望時,結果會怎樣?他一定會碰壁的,因為總有人與你一樣都會將自我不斷膨脹,當兩個自我膨脹的人走在一起的時候,結果就是衝突,發怨言、起爭論,這是慾望自我實踐的具體表達,所以這樣的生命,如果真是快活的話,只是滿足霎時的慾望。反過來說,怎樣才是真正心底裡的開心喜樂?就是順服神,順服有時也是挺難的。聖經裡面最清楚、最多人引的例子是:太太要順服丈夫,這是在以弗所書第五章所說的。聖經這樣說,我們是很難忍受的,特別是那些做太太的!我們的想法總是合理的就順服,你做得好就順服。試再聽清楚聖經是怎麼說的:

妻子也要怎樣凡事順服丈夫。聖經並不是說他做得好、他愛我、他哄得我開心，我便順服他。我們的思想離開聖經的思想太遠了，我們的思想只是，我滿足了我就喜樂。但聖經的說法是，你要放下自己才會有真正的喜樂。

二十年前，我與太太剛結婚時，有很多地方要學習。其中一個就是上茶樓時，我們儘會為一些瑣事生氣。當時上茶樓，總要站在別人後面等座位。當別人在吃東西時，你就要估量一下哪張桌子會快點結賬，然後便要站到那張桌子後面去，那是考驗自己的眼光、判斷力的時刻。我說這張桌子會先結賬，我太太總說不是，是那張桌子會快點，老是這樣，也不知道為甚麼，她每每都是正確的！但每次當我坐下的時候，我心裡是很不高興的，為甚麼？因為證明了我的眼光不獨到，我的判斷錯了。我太太問：「為甚麼你生氣啊？」我說：「沒有！」因為這個事情說出來多可笑，怎可以告訴別人！

當你的自我不斷膨脹，不斷要滿足自己的慾望、看法，你總有一天會碰壁的。碰壁的時候，你不知道自己的問題在哪裡，所以你會埋怨。埋怨是以色列人在舊約裡，特別是在摩西時代的特徵：做的不滿意，環境不滿意，神對我不公平，總之甚麼都是不滿意！原因就是他們看不到問題核心在我裡

面，不是在外面。試仔細想一想，你常常都不開心，常常都會有很多煩心的事情，是否根本的問題，是你裡面不順服神，覺得神對你不好？

II. 喜樂的結果——豐盛生命 (二 15～16)

　　順服就是服從神在我心裡的感動，聽從祂的話語，但這樣的人生會怎樣？是否會成為懦弱的人生、沒有主見的人生、時常逆來順受的人生？在第 15 至 16 節，保羅竟然一口氣，說出順服神有五個效果：第一，**使你們無可指摘，誠實無偽**，順服神的教導、感動、責備，結果就是他成為有誠信的人；第二，**在這彎曲悖謬的世代作神無瑕疵的兒女**，即是說神會因他自豪和高興，他成為與神之間毫無隔膜的兒女；第三，**你們顯在這世代中，好像明光照耀**，就是在世人面前會成為**光明之子**，可能別人未必會喜歡你，有時更會當你是傻瓜，但你是光明磊落、頂天立地；第四，**將生命的道表明出來**，即是說把神的真理，透過順服、不發怨言的生命表明出來。將看不見的道，寫在書上抽象的道，用生命具體地表現出來；第五，**叫我在基督的日子好誇我沒有空跑，也沒有徒勞**，意想不到，這是對教牧說的。對建立教會的保羅來說，事奉中如果能順服的話，所做的便不會徒勞無功、白費工夫了。

保羅說若順服神的話，便有豐盛的生命：成為誠信且表裡一致的人，也是神喜悅的兒女，在這個世界中成為明光，在黑暗中照耀人前。活出這個信仰的真實，更是對牧者的回報，讓他們知道他們**沒有空跑，也沒有徒勞**。你羨慕這種生命嗎？或者你還覺得抽象？那麼我試舉一個例子，美國有很多交通意外，不少是極嚴重的，意外的首要原因是醉酒，第二個就是睡了覺，因為路太直、太長了，很多人長途駕車就睡著了。我有一次期終考試，通宵溫習後又要上課，那天直到黃昏我才做完所有工作，已經差不多二十四小時沒有睡覺，疲累得很。但是教會一位弟兄有點事情要我幫忙，那時，太太勸我不要去，睡一會才去；否則，現在駕車是很危險的。我說不用了，該沒問題的。當時我確是很累，因怕會睡著，所以雖然寒冷，仍把車窗打開，又把收音機的聲浪盡開吵著自己，還把一支波板糖放在嘴裡吃，要讓自己保持清醒，令整個人都在活躍的狀態中，心想這該沒問題吧。不料來到一個紅燈位置，我整個人卻睡著了。「砰」的一聲，撞上了前面的一輛房車！整個人即時清醒過來。

　　幸而撞車是在紅燈的時候，車速已經慢了下來，雖然看上去沒有甚麼損毀，但最終對方還是叫了警員過來。當時下著毛毛細雨，那警員只隨便問

問是甚麼事情？為甚麼你會撞到別人等？當時我是
用英語回答，我說我很渴睡（sleepy），警員聽完
後，以為我說這條路是很濕滑的（slippery），我若
說：「是的」，他很可能就說：「沒事了」，因為他
以為出事的原因是路上濕滑。當時我有兩個選擇：
第一，不把事實說出來，因為是他聽錯了，那是他
的問題，與我無關，我可裝作若無其事，這樣也不
會被扣分（在美國被扣分是挺麻煩的事，因會增加
你的汽車保費，並要參加一些駕駛課程）。第二，
把事實告訴他，就是他聽錯了，事情不是這樣的。
結果我選擇了第二種做法，當時我與那警員說：「不
是路滑，而是我當時睡著了。」他聽完後就說：「你
過來，那是你的錯失，要給你告票，罰款及要扣分！」
我回到教會與一些弟兄姊妹說起，我撞到別人給抄
牌了，其中一位慕道的朋友對我說，為甚麼你這麼
傻！我想如果我是你，我若無其事的說這條路很
滑，不關我的事情，那就不會被人扣分及罰款了。
這個方法雖能幫助我不致受罰，不過，你說那位慕
道朋友是否還會每個星期回來聽我講道？我自己的
良心是否還可以讓我繼續傳講神的道？廣州人說：
「忠忠直直，終須乞食」，為甚麼這麼傻！你的確
可以不這樣選擇，但結果是甚麼？就是你不會喜
樂，愈是為自己打算，你的心就愈發不喜樂。

　　順服神，神在你心裡感動你，叫你不可做的就不要做，神叫你做的，你就順服祂去做，也要看重別人的生命，看他人的需要比自己的更重要。那麼，對自己，對別人，對神及對祂的道，對牧養你的人，都顯出豐盛的生命。為甚麼順服會帶來喜樂？保羅告訴我們是因為順服神才會得著豐盛的生命，這才是我們喜樂的泉源。但很可惜，在今天教會裡，也在所謂西方的民主自由社會裡，它差不多銷聲匿跡了。現在我們講公平，講平等，講表達自己的自由，講人人應有的權利，這並不是錯誤，在神面前人人平等是正確的，不過不要忘記這不是真理的全部：聖經說，我們需要順服神。

III. 喜樂的代價——獻上自己（二17~18）

　　那麼順服（或者喜樂）的代價是甚麼？保羅沒有迴避這個問題，這樣做是有代價的；別人笑我們是傻瓜，都是真實的，這是代價。保羅是有情義的人，他不但真理說得清楚，情感也豐富，第17節他說：**我以你們的信心為供獻的祭物，我若被澆奠在其上，也是喜樂，並且與你們眾人一同喜樂。**甚麼意思呢？保羅說你順服神的話，我就以你們這樣的信心，像祭物般呈獻給神。這個信心的生活，是主要的供物，**我被澆奠在其上**，指保羅自己是輔

助的供物，把他供放在一旁他也喜樂！**澆奠**這個字在新約聖經裡出現過兩次：一次在這裡，另一次在提摩太後書（保羅最後的一卷書信），在提摩太後書第四章，他說：**我現在被澆奠，我離世的時候到了**。因為當時羅馬政府要殺害他，他知道自己要殉道了，快要死了。難能可貴的是，這樣的澆奠還會帶來喜樂。保羅當然不是無病伸吟，不是在有冷氣的辦公室，享受著咖啡的時候，說我是愛你們的，為你們死去也是願意的。他是在監獄裡帶著鎖鏈，隨時會殉道的。為了信徒成長，犧牲、殉道都是他願意的。保羅同時擔心腓立比教會的會眾，會否因他的殉難，或者他的捆鎖而難過？他說你們不要難過，如果我的獻上是喜樂的事，你們也不要因而失去喜樂的心。保羅在這裡是以身作則。

IV. 結語

　　喜樂有兩種的形式：一種形式是世界給我們的，自己心裡想要的東西，得到了就喜樂；另一種是神教導的形式，就是順服神自己。你知道神是真神、活神，祂活著，祂看見每一個人的內心世界，祂不斷在感動你、提醒你。我不知道你曾否試過站在「十字路口」迷茫的時候，好像有神的聲音對你

說，不要這樣做；或有一段經文出現在腦海中，叫你不要那樣做；或有一個聖經信息在你思想中出現，叫你明白該怎樣做。趨吉避凶，走有好處的路，世人認為是喜樂的生活。但另有一條路，就是聽從神的話語。神叫我們這樣做，我們就這樣做，保羅說這是信心的澆奠，相信神一定不會忘記我們在這個時候尊重祂。真正的喜樂，不是世界所賜的，是從神而來的。我不知道你會怎樣選擇，如果你願意使用神的方式的話，我希望下一次當神提醒你的時候，你願意順服神對你的感動。

默想／討論問題

1. 你曾經得著一些東西，高興了一整天，怎料數天後，那開心的感覺已消失得無影無蹤，這個喜樂是真的嗎？甚麼是真喜樂？你曾真喜樂過嗎？

2. 你曾否試過「誠實無偽」？當時人對你有甚麼看法？說你是傻瓜？不識時務？現在再次思想，你當看重的是誰的看法？是個甚麼的看法？

3. 保羅說要謙卑順服神，為甚麼我們要如此「委屈」？這是甚麼的生命真理？

4. 順服與不順服神的人，你看得出來嗎？他們會有
   甚麼表現？又我們該如何實踐順服神，你有沒有
   學習的榜樣？

5. 你是否見過「明光照耀」人前的人，試分享他如
   何「明光照耀」。試分享你對他的感覺如何？他
   對你可有甚麼影響？

第五章
提摩太及以巴弗提的祝福
（腓二 19～30）

腓二 19～30

19 我靠主耶穌指望快打發提摩太去見你們，叫我知道你們的事，心裡就得安慰。

20 因為我沒有別人與我同心，實在掛念你們的事。

21 別人都求自己的事，並不求耶穌基督的事。

22 但你們知道提摩太的明證；他興旺福音，與我同勞，待我像兒子待父親一樣。

23 所以，我一看出我的事要怎樣了結，就盼望立刻打發他去；

24 但我靠著主自信我也必快去。

25 然而，我想必須打發以巴弗提到你們那裡去。他是我的弟兄，與我一同做工，一同當兵，是你們所差遣的，也是供給我需用的。

26 他很想念你們眾人，並且極其難過，因為你們聽見他病了。

27 他實在是病了，幾乎要死；然而神憐恤他，不但憐恤他，也憐恤我，免得我憂上加憂。

28 所以我愈發急速打發他去，叫你們再見他，就可以喜樂，我也可以少些憂愁。

29　故此，你們要在主裡歡歡樂樂地接待他，而且要尊重這樣的人；

30　因他為做基督的工夫，幾乎至死，不顧性命，要補足你們供給我的不及之處。

　　我的教會每一兩年便會舉辦一次大型的佈道會，有很多很多籌備及善後的工夫。這次也不例外，聚會前一天的中午，弟兄姊妹便準備好了一切物資，又花了一整天時間佈置會場。我實在為他們愛主、愛教會的心，滿心感謝神！我們的教會雖小，但有很寶貝的東西，就是我們的弟兄姊妹。有一肢體住在天水圍（離教會約一小時車程），昨天佈道會後很晚才回家，今天清晨就帶著一家人回到教會佈置，當他知道我在講臺上會提及他，他就要求不要提到天水圍的弟兄姊妹，因沒有幾個人住在那裡，恐怕人家一定知道是他了。我說講臺是講聖經的，而聖經中保羅也會這樣提起他們的名字及稱讚同工的呀！這些弟兄姊妹對主、對教會有一份單純的愛與委身，常常甘於勞苦，默默耕耘地服侍，實在是父神給我們極大的祝福。

　　腓立比書中，保羅也提及他的同工都是十分寶貴的，令他在孤單的事奉中，得著極大安慰和幫助，其中特別提及並讚賞的有提摩太和以巴弗提。我們

對提摩太的認識較多，但以巴弗提我們對他所知極少。從這段經文裡，我們看到保羅是怎樣欣賞和稱讚他的同工。經文可分成兩段，第一段二章 19 至 24 節提及提摩太，第二段 25 至 30 節則提及以巴弗提。特別的地方是：為甚麼這兩段經文會在這裡出現？保羅很多書信都會提到誰是帶信人，及傳達兩地信徒的彼此問安，但一般這些話都放在信末，極少放在一封信的中間位置。保羅在寫信時突然中斷主題，提及他所差派的人是絕無僅有的。

其實，在一章 27 節開始，保羅教導腓立比信徒要同心，他表明大家不能同心的原因，是自我膨脹得太厲害，因此要同心就要放下自己，他隨著在二章 5 至 11 節以主耶穌基督自己的謙卑捨己，作為終極的榜樣，並在二章 5 節，一開始便道出**你們當以基督耶穌的心為心**這最重要的屬靈原則。教會要真正合一，要像明光一樣，能照亮這彎曲悖謬的世代，只有一個方法，就是**以基督耶穌的心為心**。怎樣**以基督耶穌的心為心**？他便舉出提摩太和以巴弗提這兩位同工作例子，把抽象的原則具體地作出說明，他將他們放在這封信的中間，作為他信息內容的實例。

I. 甚麼是以基督耶穌的心為心——提摩太的榜樣（二19~24）

保羅在第 19 至 24 節談及提摩太時是很親切的，說提摩太待他好像兒子待父親，又在興旺福音的事情上，與他一同勞苦，彼此關係親切。換言之，提摩太跟保羅之間，絕不是只有「公事公辦」的工作關係，而是緊密的生命關係。保羅並沒有帶提摩太信主，提摩太的信仰從母親和外祖母那裡得來的（見提後一5），所以當保羅說他像兒子般待提摩太時，不是指他信主這方面，而是指傳道多年的師傅，與初出道的年青傳道前輩與晚輩的關係，就像父親與兒子那樣。

第19至21節說：**我靠主耶穌指望快打發提摩太去見你們，叫我知道你們的事，心裡就得著安慰，因為我沒有別人與我同心，實在掛念你們的事。別人都求自己的事，並不求耶穌基督的事。**短短的這幾節聖經，提及許多的**事**，所提及的每一樣事情，都有一個主詞：教會有教會的**事**、提摩太有提摩太的**事**、保羅有保羅的**事**，有些別人，也都**求自己的事**。它們是甚麼？第一，教會的事——腓立比教會所關心的，是保羅及他們派去服侍保羅而途中病倒的以巴弗提；第二，提摩太的事——保羅提到沒有人與他同心，可能是因提摩太、路加醫生

等本來與他一起的人，都暫時有事離開了；第三，
保羅的事——第 23 節說：**所以，我一看出我的事
要怎樣了結，就盼望立刻打發他去**，意即當保羅
的案件進一步明朗化後，他預備馬上打發提摩太去
見腓立比的信徒，讓他們知悉情況。所以他所講的
事，是指他在羅馬坐牢等候上訴，如果上訴得直，
就有機會釋放，如果敗訴，就會繼續坐牢，甚至有
性命危險；第四，別人的事——他們只求自己的事，
不是求耶穌基督的事。

　　第 21、22 節保羅有這樣的體會：**別人都求自
己的事，並不求耶穌基督的事。但你們知道提
摩太的明證**，很多人都為自己的事情操心，但提摩
太所掛念的，卻是耶穌基督的事。甚麼是耶穌基督
的事？事實上，提摩太只是做傳道，服事保羅。因
為當時沒有電郵或電話，任何消息都要人親自傳
送，保羅便差派他傳遞消息。服侍人、當信差，這
些工作表面看來算不得甚麼，但在保羅心目中，都
是在做耶穌基督的事。當你做事，那怕是很簡單的，
但是為了耶穌基督而做的，那你做的便是耶穌基督
的事情了。把它與前面**以基督耶穌的心為心**一起去
看，便明白**以基督耶穌的心為心**，就是要關心耶穌
的事情，做耶穌的事情了。

II. 如何以基督耶穌的心為心——以巴弗提的榜樣（二 25～30）

　　第 25 至 30 節提到以巴弗提。以巴弗提是希臘名字，在當時很普通，很多人喜歡用這名字，意即魅力、吸引力。以巴弗提的生命也如他的名字，很具吸引力。他受腓立比教會差派去服事保羅，從腓立比去到保羅坐牢的地方，有人估計路程最快要步行四星期，他去到保羅那裡就病倒了。以巴弗提有兩個任務，其一是服事保羅，其二是將腓立比人的禮物帶給保羅。在第四章，保羅提及不大願意接納其他教會給他的捐獻，但腓立比教會則例外，因為腓立比教會與他的關係，他願意接納他們的關心。從第 27、30 節可知，以巴弗提病得很厲害，究竟他是到了保羅那裡才病倒，還是在路途上已經生病，我們不得而知，保羅可能刻意不提，因為這表示以巴弗提到了保羅那裡，就不是他服事保羅，而是保羅服事他了，這更會表示以巴弗提其實未能完成他服侍保羅的任務。無論如何，他病倒的消息傳返腓立比教會，他們因此非常掛心，因他們差派出去的同工，可能因為教會而付上生命。他們想念以巴弗提這消息，又傳回給保羅知道，因此保羅在第 28 節說：**愈發急速打發他去**，他要盡快將這位他們想念的同工，差返腓立比去。由此可見保羅的心腸及他

們彼此的關係多麼緊密，情誼多麼深摯。保羅在第27節說免他**憂上加憂**，幸而神憐憫以巴弗提，也憐憫保羅，讓他得以痊愈。事實上，保羅要處理的問題已經太多了，他還在牢獄中等候上訴，如果再有弟兄為要服事他而死，他會更加憂傷。

第27節說：**他實在是病了，幾乎要死**，今天有一些極端靈恩派的信徒，強調生病是出於魔鬼的攻擊，如果是神賜福的話，就不應該生病的，而有病的話就應該要憑信心來治好，一些更極端的甚至說不用看醫生，完全依靠禱告就可以了。但這裡很明顯的例子，是教會中為主勞苦、委身的同工，一樣會病倒。保羅在哥林多後書十二章12節提到神賜給使徒權柄（請留意權柄是給使徒，並不是給所有的人），以神蹟、奇事來見證所傳的福音。在希伯來書第二章，作者也提到第一代信徒的神蹟奇事。我們今天或會見到有神蹟奇事發生，特別在國內或一些宣教工場，不時會聽癌症得醫治、久病的可以痊愈、瘸腿的可以起來行走，甚至死人可以復活等。不過，這方面我們沒有神絕對的應許，就算在使徒時代，使徒有這權柄，也不是所有的病都立刻能夠醫好。如果是這樣的話，保羅就不會在第26至27節說：**他實在是病了，幾乎要死**，這句話顯示保羅沒有用神蹟醫好以巴弗提，他是經過自然康復的階

段，病愈後，保羅才差派他回去。由此可見，那個高舉神蹟治病的方向，並不是基督教信仰的核心，連使徒也不是常常施行神蹟醫治，我們今天就更加不是了！

這位生命滿有吸引力的以巴弗提，怎樣活出以基督耶穌的心為心的人生？先看看以巴弗提的心腸，第26節說：**他很想念你們眾人，並且極其難過，因為你們聽見他病了**。他知道腓立比信徒聽見他病了，為他掛心，他很是掛慮。像一些父母雖然身體不舒服，但不到最後一分鐘也不說要去醫院，因害怕兒女為自己擔心。同樣有些兒女有難處重擔，例如在公司遇到諸般壓力，甚或失業也不敢告訴家人，每天還假裝上班，只因不想家人擔心。當然這只是說明一些情況，不是該學習的。以巴弗提跟腓立比教會的關係就情同家人，以巴弗提為了要前去服侍遭軟禁的保羅，幾乎客死異鄉，但心裡掛念的，仍是教會和弟兄姊妹，可見彼此顧念之情，在整個腓立比教會實在非常濃厚，是有情的群體。中國人不是說「人不為己，天誅地滅」嗎？許多人正因不斷為自己的好處，就愈不開心，愈發走進黑暗和悲劇中！試看腓立比教會，他們的同工、信徒雖有患難、困逼，但因彼此顧念，濃情厚義，真正以耶穌基督的心腸待人，便成為喜樂的教會。

　　以巴弗提除了有愛弟兄姊妹的心腸，他的人生也滿有忠誠、使命感。第 30 節說：**因他為做基督的工夫，幾乎至死，不顧性命，要補足你們供給我的不及之處。不及之處**這詞，不是指腓立比教會所做的不足夠，要由以巴弗提來填補。**不及之處**的真正意思，是指一件原本已是美好的事情，缺了某些部分便成了不完整，就像一幅拼圖缺了一塊，還是有些缺陷。以巴弗提所做的，就是使事情完整的一塊，讓一件原本已經很好的事情得以完全。

　　以巴弗提的任務是服侍保羅及把腓立比教會的饋贈帶給他，但保羅在第 30 節說，以巴弗提是在**作基督的工夫**。透過用心服侍人，便是服事神了。他義不容辭，甚至**不顧性命**，病了還是盡忠職守。還記得那首兒童詩歌 JOY 嗎？就是耶穌（Jesus）第一，別人（Others）第二，然後才是你自己（Yourself）。即是以耶穌為首，常想念別人的需要，最後才想到自己，這就是以巴弗提的精神。在保羅眼中，為主的緣故服侍別人，也就等於服侍基督，實踐主給他的使命；人以基督耶穌的心為心，亦會看到手上的工作，是神託付給他的，他要忠心努力去完成神給他的使命。

　　最後，我們看到以巴弗提的結果。保羅在第 28 節說：**所以我愈發急速打發他去，叫你們再**

見他，就可以喜樂，我也可以少些憂愁。保羅此舉正顯示出他的胸懷。他不會想：「這些人力物力都是我的，動不得；以巴弗提本是要服事我的，他走了，誰來服侍我？」保羅只是關心腓立比信徒的感受，趕快差他回去，好讓他與弟兄姊妹重聚，眾人喜悅的，才是他所喜悅的。保羅在腓立比書及帖撒羅尼迦書信，多次對教會的弟兄姊妹說：「你們就是我的喜樂、我的榮耀。」這是真正為父的心腸！在第29節，保羅說：**故此，你們要在主裡歡歡樂樂地接待他，而且要尊重這樣的人**，主耶穌在約翰福音講過一句話，令傳道人很振奮的，祂說：**若有人服事我，我父必尊重他**（約十二26），試想想，我們甚麼時候會對別人說，「我很尊重我家的傭工」？人說這樣的話尚且難得，現在全能永生的神，竟然說祂會尊重祂那些「無用的僕人」！保羅吩咐腓立比教會，當以巴弗提回來時，要快快樂樂地為他接待他。如果以巴弗提真的在途中就病倒，他所完成的任務其實不多，但因為他的心志，他的使命感，他那種忠誠的態度，教會弟兄姊妹得要尊重他。他工作的成效未必高，但他的心志、態度是值得尊重的。

以巴弗提讓我們看見，他的心腸、他的情感，他做事忠誠、委身、處處顯出他的使命感。這樣的

人將得到別人,甚至天父的尊重。這樣的人生你喜歡嗎?

III. 結語

過去幾年,神給我們教會添了一些新來賓。他們初來教會,可能只想找個地方休息、安歇,我鼓勵他們,盡可能不要做「過客」。此舉不是為了要加增人數,而是教會確實是屬靈的家,我們在這裡一起學習、成長,也追求成為別人的祝福。在教會中做「過客」,心境怪難受的。1987 年我去美國進修,很短時間內接到通知便要離開香港,當時心情是依依不捨的。許多弟兄姊妹請我吃飯,連那些平日很少接觸的也跟我餞行,實在感動。去到新地方,便要適應一番,學校及生活環境是說英語,教會則很多時說國語,當時我嘗試去不同的教會觀摩,每星期都做「新朋友」。過了一年,暑假回港,我每週又要去不同教會講道,實在受不了,滿有失落感,深覺需要再有一個屬靈的家。進修完畢,畢業時家人提議我考慮留在美國事奉,我沒有半點猶豫,決定要返回香港!返港後要考慮去哪一間教會,我又運用做「丈夫的權柄」,要太太及兒女順服:我有需要到不同教會講道,但她們一定要回到母會,因為我深切盼望自己的家人,能成為教會家裡的人而

不是旁觀者。基督徒如果長期沒有一個屬靈的家，屬靈生命肯定會出現問題，因為聖經上說教會是永生神的家。神在地上可以用很多方法成就祂的工作，但祂偏偏選擇了「透過教會」這方法，去將祂在基督裡的豐盛表彰出來；這是新約的教會觀。弟兄姊妹要愛神為你們預備的教會，並且要以家人的心態去與教會的信徒交往，視他們是主內的一家人，更重要的是要在主裡建立相愛的情誼。

默想／討論問題

1. 你曾否遇過一些弟兄姊妹在教會內外，殷勤、樂意地服侍，令你印象深刻？你尊敬他們嗎？你對他們曾有過些甚麼表示？

2. 城市生活繁忙困累，各人都有「自己的事」。在忙碌中，怎樣才能保持對神工作的熱誠？

3. 有沒有遇過一些身體欠佳，但仍很有事奉心志的人？保羅對以巴弗的態度，教導我們要怎樣看這些弟兄姊妹？

4. 是否所有侍主愛神的人，患病都得到醫治？試舉一些蒙醫治及不蒙醫治的例子，試與組員分享你如何理解他們的經歷。

5. 你認同教會是神的家，而不單是一個信仰的團
   體、組織嗎？聖經形容教會是屬靈的家，當中有
   甚麼元素是不可或缺的？

第六章
作個不自誇的喜樂人
（腓三 1～7）

腓三 1～7

1 弟兄們,我還有話說,你們要靠主喜樂。我
  把這話再寫給你們,於我並不為難,於你們
  卻是妥當。

2 應當防備犬類,防備作惡的,防備妄自行割的。

3 因為真受割禮的,乃是我們這以神的靈敬
  拜、在基督耶穌裡誇口、不靠著肉體的。

4 其實,我也可以靠肉體;若是別人想他可以
  靠肉體,我更可以靠著了。

5 我第八天受割禮;我是以色列族、便雅憫支
  派的人,是希伯來人所生的希伯來人。就律
  法說,我是法利賽人;

6 就熱心說,我是逼迫教會的;就律法上的義
  說,我是無可指摘的。

7 只是我先前以為與我有益的,我現在因基督
  都當作有損的。

　　腓立比書雖是二千年前寫成,但因為出於神的
靈感動,這書信仍適用於往後歷世歷代的教會,適用
於你和我。保羅教導信徒要謙卑順服,彼此同心一
起侍奉神後,進入第三章他則補充:信徒在教會裡,

不是所有人都該毫無保留地接納的，我們必須小心一些表面上歸向神，骨子裡卻是破壞真理、違背福音的人。開始時保羅便一再重複：**你們要靠主喜樂。喜樂**在腓立比書是非常突出的字眼，短短四章的經文這字出現了十多次。但接下去，他感到有一件事情非要再三提醒腓立比信徒不可，不然會影響他們獲得真正喜樂的生命，他說：「**我把這話再寫給你們，於我並不為難，於你們卻是妥當。**」中文的翻譯不是很清晰，保羅在這裡真正的意思是：「我曾經教導你們這些事情，不過如今我再把它複述，對我並無困難，但會令你們更為穩妥。」為甚麼保羅要這樣慎重其事，再三提醒？可見這事嚴重！

　　美國有一個重量級拳擊手，在奧克拉荷馬州一個鄉村長大，他希望能夠出人頭地，於是到當時拳擊中心的芝加哥參加拳賽，想要一舉成名。他乘長途公車到芝加哥的「大風城」（Windy City），當地有一座由著名華人建築師貝聿銘設計，曾經是全美國，甚至全世界最高的大廈 Sears Tower。這個鄉下人提著兩個行李箱，跑到這座當時最高的大廈前瞻仰一番，他舉起雙手說：「有一天，我會站在這個芝加哥的頂峰，人人都認識我，人人都知道我就是世界上最好的拳擊手！」他舉手大聲宣告他的「凌雲壯志」後，誰知放下手來，發現那兩個行李箱竟不

翼而飛了！原來芝加哥治安問題嚴重，這位「未來拳王」一心想要創一番事業，卻疏忽了防範小偷，連身邊最重要的家當也丟失了。被利慾沖昏了頭腦，便忽略生命中最基本、最顯而易見的需要，這也是很多香港人的毛病！今天很多人可能一天到晚只盤算著怎樣可以變得聰明些、比別人強些，怎樣可以出人頭地、得著更多……。但所追求的一切，都是外在的，從來沒想過人生不能喜樂，根本的問題不是怎樣加增外在的東西，而是怎樣處理內在生命的需要。

保羅在第三章把人生的追求方向分成兩大類：屬肉體的與屬基督的。

I. 屬肉體的人生 (三2、4～7)

保羅在第 2 節用了非常不客氣的三個片語，形容甚麼叫做屬肉體：第一個是：**要防備犬類**；第二個是：**要防備那些作惡的**；第三個是**要防備妄自行割的**。這三個詞都是指一些人，生命中沒有神，只是想靠自己外在的條件，自身的本領，達到人生的目標，獲得滿足快樂。

要防備犬類是甚麼意思呢？聖經裡面有兩個字來描述狗，所指其實是兩種不同的狗。但中文聖經則有時譯作「犬」，有時譯作「狗」。主耶穌在世時，曾有一個迦南婦人乞求祂醫治她的女兒，迦

南婦人向主說：「**但是狗也吃他主人桌子上掉下來的碎渣兒**」（太十五 27）。那個狗字原文所指的實是家裡飼養的小狗，有點像我們今天的寵物。第二個字是在馬太福音中的登山寶訓說的：「**不要把聖物給狗**」（太七 6），這個狗字和這裡**要防備犬類**的犬字，原文是指像豺狼般聯群攻擊人或家畜的野狗。因此**要防備犬類**是極不客氣的說法，是指那些攻擊信徒、教會的人。他們是甚麼人呢？按當時的背景，應指猶太主義的基督徒，這些人雖然自稱基督徒，但帶著舊的觀念，又未必確切明白基督的真義。保羅在這裡公開提醒信徒：要小心這些人。他們在教會具一定影響力，表面上雖然歸信基督，但骨子裡認為猶太人才是神揀選的百姓，他們才是名門正派；其他非猶太人的外邦信徒，要得救的話就要先成為猶太人，加入猶太教，並且守割禮。猶太人與我們中國人一樣，對狗都是沒有好感，對於未受割禮，非我族類的外邦人，他們有句俗語說：「你們要像狗一樣進來。」反映他們對非猶太人的態度。耶穌跟迦南婦人談話的記述也跟這背景吻合，她深知猶太人的歧視，才以狗自比。

　　保羅又說他們是**作惡的**，因為他們自以為是建立神的工作，但其實是四處破壞神的工作，影響神的百姓。這群猶太主義者死守律法，常著眼於要幹

這些、不要幹那些，到了令人窒息的地步！不要以為舊日的猶太人、法利賽人才會死守律法，我們現代的教會中，類似的事也常會發生。記得自己年少時參加教會，有一位姊妹與我分享，她和幾位姊妹一起參加教會，本是很開心的，但每次聚會完了都感到很為難，因為教會裡有一位傳道人每次都追問她們：「為甚麼你們不穿裙子上教會？」本來穿裙子上教會，或以莊重的衣飾敬拜神都是好的，但她們在那年代，家境實在不容許她們買一條像樣的裙子，所以每次傳道人追問，就令她們尷尬和難過。教會中一些有形無形的規範，本身並無問題，可能也是好的，但倘若變成死板的規條，就會成為桎梏，窒息了很多人渴慕神、尋求神的心。

保羅又說他們是**妄自行割的**。割禮代表一種外在的記號，他們很著重這形式，認為必須遵守，才能得神的喜悅。保羅說他們徒有外表，沒有真正的生命，並囑咐腓立比信徒對他們要加以小心。

在第 4 節他開始細說自己的資格：**其實，我也可以靠肉體**。這是指保羅也有許多外在可恃的東西，可以把他們比下去的。保羅說他是第八天受割禮的，守割禮是猶太人的律法，早在神賜下律法前，祂就吩咐亞伯拉罕要行割禮。筆者年少時曾經從電視一個醫學節目上，知道猶太人替嬰兒行割禮的獨

特地方，印象極深。第八日行割禮原來與人體的生理狀況有關，嬰孩體中凝血的血小板，在出生後第七日和第九日都是差不多的，唯獨第八日，血小板會特別高，所以在這一天行割禮，傷口最容易愈合！原來聖經早在四千年前，還未有種種醫學研究以先，已經有這樣的智慧了。保羅說他自己在第八天便受割禮，旨在說明他祖籍是猶太人，絕非從外邦歸向猶太教的。他又提及自己是便雅憫支派的，這有甚麼特別之處？便雅憫雖然不是以色列十二支派中為首的，也不是大支派，但以色列第一個王掃羅是便雅憫人，便雅憫與猶大是南國的兩個支派，子民是大衛王朝的後人，保羅這樣表明他是「系出名門」，是跟王室血統可以扯上關係的。他還在第 5 節提及：**我是希伯來人所生的希伯來人**，也就是說他父母都有純正希伯來人的血統，絕非一些散落外邦，與異族通婚混雜的猶太人。又說：「**我是法利賽人**」，事實上，保羅曾在使徒行傳中，提及他是從大數（當時羅馬帝國著名的學術中心）出身，又師承著名的律法教師迦馬列，是「學院派」的法利賽人。耶穌時代的巴勒斯坦地猶太人，有三類宗教領袖：撒都該人、文士和祭司，及法利賽人。撒都該人、文士和祭司在政治上較具影響力，法利賽人雖無政治影響力，卻因嚴守律法，行為嚴謹，因為

他們宗教上的熱忱，極得到民間的尊重。有統計指出，耶穌時代巴勒斯坦地的法利賽人，大約只有六千人左右。他們的服飾獨特，佩帶裝有經文的盒子，又常常在鬧市中當眾跪下大聲祈禱，當時巴勒斯坦地的女性，從所穿的服飾可看出她們是否已婚，有些法利賽人在街上走過，看見有未婚的女性，為了保持清白就會閉上眼睛，寧可撞在柱上，以表明他們對自己極高的道德要求，所以他們稱為「撞柱式的法利賽人」。保羅最後在第 6 節還補充說：「**就熱心說，我是逼迫教會的；就律法上的義說，我是無可指摘的。**」甚麼叫無可指摘呢？無可指摘的意思不是說他已經完美，沒有任何罪行，而是指他按著律法的要求每一樣都做足。舊約律法大約有 613 條，其中 248 條是正面的，365 條是禁例，保羅說：「這些我都做足了的，如果按著這標準來判斷我的話，我沒有一條是做不到的。」

雖然保羅在律法上每一個要求都做足了，但他是不是好人呢？我們試試這樣看吧：我不偷東西，但我貪心；我不殺人放火，不過我恨人入骨；我沒有搶別人東西，但同樣我也不會幫助人。這樣的人是否真正的好人呢？第 7 節保羅說：「**只是我先前以為與我有益的，我現在因基督都當作有損的。**」過往所追求的東西，現在一下子說他都當作有損

的。**我現在因基督都當作有損的**，不是說那些追求一定是錯、有害的，保羅從來沒說律法不好，保羅一直在說：「問題不在律法上，問題在我們而不是在律法本身。」保羅說有損或有益，只是比較的說法，只因遇見耶穌基督，這些追求都黯然失色了。有些人喜歡在晚上行山，其中一個原因就是想看日出，行夜山你會看到天上燦爛的繁星，但當太陽出來的時候，它們便消失得無影無蹤了，其實星星還在，不是失了蹤，只不過在太陽的光芒下，星星就黯然失色。相對於保羅講的有損，意思是說：「我若認識基督帶來的好處，我過往所追求的，便黯然失色了。」如果沒有這個心，你是很難享受到基督裡的喜樂。

II. 屬基督的人生（三3）

　　第二類人是第 3 節所形容的，是與犬類、作惡及妄自行割的有別，是那些**真受割禮的人**。**真受割禮的人就是以神的靈敬拜、在基督耶穌裡誇口、不靠著肉體的人**。保羅指的是屬神的人的標記，不在乎他做了甚麼宗教形式，而在乎他的心靈。心靈裡是否真的相信神，真的給神潔淨？又是否以神的靈敬拜，是建立而不是破壞，繼續在神面前成長？

　　我跟十多歲的兒子討論問題時便明白，他這個

年代，做甚麼事情都要有即時效果，才會覺得是實在的。所以他常與我爭辯，祈禱有甚麼意思呢？敬拜神，做這麼多儀式、行動有甚麼用呢？他的腦海中一定要「實用」才行，我只能對他說：「兒啊，人類許多最深的情操就剛剛與你所說的相反！」最近與他談到掃墓，他這「半洋人」不很明白這些事情，他說：「去那裡幹甚麼？有甚麼好做呢？」現在國內竟有「上網掃墓」！不用親自去，上網就可以了，而且每天都可以去。人類文化最深的情操是不可以用功效計算，用公理說得明白的。

保羅說屬神的人，是**以神的靈敬拜**，就像耶穌所說用心靈誠實敬拜。不是說聽過多少道，有沒有得著，或者當中盡過多少力，不是說這些，而是說真心的來到神面前，親近祂，心靈遇見祂，這才是真的參與，才是喜樂的來源，這種心靈的作用是你完全可以感受到的。保羅更說能**在基督耶穌裡誇口**，是靠基督誇勝的，真正的喜樂是基於人與神的關係，基於他持續敬拜神的生活。這方面我們在下一章保羅的榜樣中，會看得更加清楚。

III. 結語

前美國總統列根當總統前，是加州的州長，有一次獲邀往墨西哥訪問。列根口才是非常好的，演講

完畢往往都是掌聲如雷，但這一趟的演說，聽眾聽完了像沒有甚麼反應，拍手似乎也是很勉強的，他覺得有點尷尬。接下來的，就令他更尷尬，因為他剛坐下來就有另一個人站起來，用西班牙話發言，列根當時聽不懂，但見台下的人有極佳的反應，每講一段就熱烈地鼓掌，他唯有聽不懂也假裝聽懂，加入一起熱烈地鼓掌，以示禮貌。完了，墨西哥的美國領使跑來對他說：「如果我是你，就不會鼓掌了。」「為甚麼？」列根問。領使回答：「你知不知道那人在說甚麼？」列根說：「我真的不知道。」領使說：「那人其實只是將你剛才所說的話簡單翻譯一遍。所以當你拍手，就是為自己的演講鼓掌啊！」

這故事挺有意思：人就是這樣，總是留心人怎樣看自己，總是著緊在身處的環境裡，如何跟周遭融合，甚至願意幹一些自己也不明白的事情，生怕自己不獲認同、不受歡迎。因為這個傳統，這個環境，這些人物，所以我便這樣參與，這樣表現，不知不覺便落入迷失自我的光景，還以為是獲得極高的肯定。

要獲得真正的喜樂是要從外面的困窘中掙脫出來。真正美好的東西，都是發自內心的，從自己裡面、從神那裡尋找的。真正問題是我們怎樣看自己，神又怎樣看我。三章 1 節說：**你們要靠主喜樂**，從

自己的生命中，我看到神的幫助，我便不再以我的理想作為理想，而是將神帶進我的理想當中，然後用神的方法持守我的人生。這樣，才能夠真正誠實面對自己，真正誠實面對神。當我有這樣的心態的時候，才能得著聖經裡所說的真正喜樂的來源——主耶穌基督。

默想／討論問題

1. 你是否終日營營役役於外在的東西？衣服、食物、住屋、交通都是每天生活的必需品，你如何界定你的需要，如何能達至合宜適切的「足夠」水平？「內裡」又如何影響「外在」？

2. 在教會中，你遇過所謂的「法利賽人」嗎？試分享他們真正的問題是甚麼？

3. 在這裡說人類最深的情操總是與「實用」相悖，你覺得甚麼是人類最深的情操，試舉出例子，然後大家嘗試分析它們與「實用」可有關係沒有？

4. 甚麼是敬拜神的生活？你在生活上，在不同的困難中，有沒有遇見過神？請大家討論如何才可以遇見神呢？保羅有些甚麼教導？

第七章
得著基督之義的喜樂人
（腓三 8～16）

腓三 8～16

8　不但如此，我也將萬事當作有損的，因我以認識我主基督耶穌為至寶。我為他已經丟棄萬事，看作糞土，為要得著基督；

9　並且得以在他裡面，不是有自己因律法而得的義，乃是有信基督的義，就是因信神而來的義，

10　使我認識基督，曉得他復活的大能，並且曉得和他一同受苦，效法他的死，

11　或者我也得以從死裡復活。

12　這不是說我已經得著了，已經完全了；我乃是竭力追求，或者可以得著基督耶穌所以得著我的〔所以得著我的：或譯所要我得的〕。

13　弟兄們，我不是以為自己已經得著了；我只有一件事，就是忘記背後，努力面前的，

14　向著標竿直跑，要得神在基督耶穌裡從上面召我來得的獎賞。

15　所以我們中間，凡是完全人總要存這樣的心；若在甚麼事上存別樣的心，神也必以此指示你們。

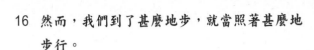

16　然而，我們到了甚麼地步，就當照著甚麼地步行。

　　母親節期間，大家都會說「母親節快樂！」但是否每一個母親都真的快樂？做母親，特別是做好的母親實不容易。記得小時候，母親一個人照顧我們六個孩子，當時沒有洗衣機，所有衣服都是她雙手洗出來的，造飯沒有電鍋，有的只是簡單的炊具，非常辛勞。今時今日，新一代的母親雖然有各種電器幫助做家務，但有其他難處。例如在香港，兒女升讀中學時要面試，母親便要作很多準備工夫，甚或要聽許多講座，做足「功課」，極不容易。每年到了特定時間，各名校便出現通宵排隊等候的「人龍」，其中許多是母親（當然也有父親），為的是子女的前程。男人的角色同樣有其難處，日間工作壓力已不少，回家還要看太太的臉色，千方百計令她開心。做兒女？他們也會覺得不容易，媽媽有這樣的要求，爸爸有那樣的期望，自己幹甚麼都好像不對勁的……看來似乎每個人都有自己的難處。無怪乎有人說：「人生就像一樁極大的苦惱：年輕時犯錯，成年時有心無力，晚年得著的是遺憾。」事實上，今日很多香港人，常常睡眠不足，疲倦非常，讀書學子要為各種考試拼搏，在職人士經常超時工

作，又為本身的專業不斷進修；夫婦有了孩子後就忙於照顧他們，兒女大一點則為他們讀書戀愛而掛心苦惱，兒女長大成人，以為可以有點「安樂日子」吧，不料身體開始出現大大小小的毛病，還老是睡不著覺。這樣看來，人生是勞碌困累，充斥著一段段的苦惱，在這情況下，怎樣才能找到力量、找到喜樂？

人生確有許多不如意的地方，基督徒跟世人有不同的原則和信念，他們的人生就更加艱難了。因此有人不禁問，做基督徒快樂嗎？人信了耶穌，本該快樂一點的，但往往「知易行難」，總是有心無力，身心皆疲。那麼，讓我們一同看看保羅在腓立比書三章 8 至 16 節所給的指引。他把人生比喻作一場賽跑，並自言要**忘記背後，努力面前，向著標竿直跑**。我們可將這段經文分為三個段落，思想其中信息。

I. 認定正確的標竿 (三 8～9)

第一個段落說明在這場人生競賽中，我們要保持喜樂，認定目標。人感到不喜樂，當中一個原因，是在人生的賽道上，有一些錯誤的目標，以致總是得不著滿足。就像希臘的薛西弗斯神話中，天神宙斯要懲罰薛西弗斯，命令他從山坡下推一塊巨石上

山，但推到山頂時，它卻自動滾回山下去，他唯有再一次⋯⋯故事就是這樣周而復始地繼續下去。或像今天的澳門賽狗那樣，電兔在前面跑，狗就在後面追，但那些電兔永遠比狗快！這些故事，也是很多人的人生寫照。我們疲乏、困累，但想要追求的東西永遠追不到。箇中原因，可能就是目標錯誤，或者是錯誤的標準，讓你永遠不能到達目的地。

保羅說，他從前也有過錯誤的目標，就是追求第 9 節的**因律法而得的義**。曾提及舊約聖經裡大約有 613 條規條，規範猶太人該怎樣行事為人，滿足神的要求。但保羅說，這些他雖然都一一完成，卻不覺得喜樂，不能對他有真正的幫助。**因律法而得的義**，代表著人想用一些外在的方法達至自己的理想，但這不能徹底改變人的心境。人是很奇怪的，很多時候一些外在的條件雖然得到滿足，但並不能換來內心真正的快樂，因為人內心深處的問題沒有得著解決，這樣，不論外在的滿足怎樣增加，心內也不能感到恆久的快樂。

保羅說從前他有從律法而來的義，但這並不能為他帶來真正滿足。甚麼才能使他獲得真正滿足？第 9 節說：**乃是有信基督的義，就是因信神而來的義。**因為從信耶穌而來的義，他可以為自己的人生，找到正確的目標，成就真正快樂的人生。

今日的社會，許多標準都是相對的。我曾因同性戀立法運動，有機會跟政府一些官員開會，官員清楚地表示，他們所關心的只是社會的和諧、穩定，甚麼是非對錯，或道德取向，都不是他們的關注，他們說立法是秩序問題，不是道德問題。又如中國在六七十年代，城鄉各處都貼滿各色各樣的「大字報」和標語，教育人民要「講文明」「講精神」「講衛生」「為人民服務」等。到了八九十年代經濟騰飛，便很少在公眾地方再看見這些標語，因為經濟起飛，大家都「向錢看」了。近年當局又發覺這樣不成了，因為當人民整個的目光都是「向錢看」，便會產生很多不法和危害公眾的事，就如各色各樣冒牌、劣質，甚至有毒的產品，所以又重新感到需要重視道德教育。由此可見，社會上的「道德標準」總是不斷地擺來擺去，沒甚麼真正的標準。同性戀、同居、墮胎、賭博等，哪些應該做、哪些不應該做？都是因時因地而異。

若基督的義成為我們的義，我們就不再會搖擺不定，沒有方向了。甚麼是**以耶穌基督的義成為我們的義**？保羅說作為跟隨基督的人，必須接納耶穌基督的標準成為自己的標準。基督教所說的信仰，在中國傳統框架下是很難說得明白的，中國人的「實用主義」，視你有些甚麼成就，對自己、對

家庭、對國家有些甚麼實質益處，才是正確的人生目標。但基督徒的「信」，不單是信念上認同聖經的思想，而是接受神的方法，神的方法成為他人生的轉捩點。當我們順服神在聖經中立下的標準，作為自己行事為人的準則，那麼在國家或社會中，無論不同的人對不同議題抱持甚麼樣的立場，我們也有自己的定向。世人的立場會因時間、環境而更改，但我們有了聖經的真理、基督的標準作為我們的標準，人生就有不一樣的規範，更不會左搖右擺了。

第 8 節說：**我以認識我主基督耶穌為至寶。我為他已經丟棄萬事，看作糞土，為要得著基督；**保羅以**糞土**和**至寶**，來對比他自己得著基督前後的看法，**糞土**是指他從前在律法上所獲得的義，所誇耀的一切。為甚麼保羅會這樣極端？其實聖經裡有時也運用這樣的寫作手法：把兩種極端相反的東西放在一起來比較。例如耶穌說：**人到我這裡來，若不愛我勝過愛自己的父母、妻子、兒女、弟兄、姐妹和自己的性命，就不能作我的門徒。**（路十四 26）這裡原文的意思是甚麼？中文聖經沒有把它的意思全部翻譯出來，它原來的意思是「若有人要跟從我，就要恨你的父母、你的妻子、你的兒女，甚至自己的性命。」這明顯是一種寫作手法，以誇張的對比來表示耶穌要求我們愛祂的程度要勝過一

切,而不是真的叫我們憎恨自己的父母、家人!因為聖經中其他很多地方,清楚說明信徒要孝敬父母了,例如十誡,提摩太前書五章 2 節:**人若不看顧親屬,就是背了真道,比不信的人還不好。**保羅在這裡用了同樣手法,說明跟耶穌基督比較的話,律法出來的義及世界上的一切就像糞土一樣,黯然失色了。我不久前曾跟教會的少年人去露營,在香港這城市裡,平日很難看見星星,但當晚看到很多美麗的星星,少年人整晚不睡覺看星星,直至清晨四、五點,天開始發亮,太陽慢慢出來了,我們便漸漸看不見星星。為甚麼?星星還在,只因有了陽光,星星的光輝就失色了。這也是保羅的意思,跟耶穌基督比較起來,其他的一切也就黯然失色了!

II. 認識能力的源頭 (三 10~11)

這裡保羅提到除了認定標竿外,也要認定我們能力的源頭。第 10 節:**使我認識基督,曉得他復活的大能,並且曉得和他一同受苦**。這節經文的中譯有一點累贅,但原來的意思很簡單,就是:「如果這樣做的話,就能令我認識到耶穌基督和祂復活的大能。」得著從耶穌基督來的義,使我認識基督和祂復活的大能。請留意**認識**這字的意思不單指知道。聖經說「認識」一個人,或「認識神」,是指

與之建立密切的關係。當我認識耶穌基督，與祂建立親密的關係，就會體會到祂復活的大能，如果我真正以耶穌基督的義作為我的義，耶穌基督復活的大能便常會彰顯在我的身上。在聖經中，特別是保羅的神學裡，很多地方都有這思想：耶穌基督的死和復活，透過教會、透過信徒不住地延續下來。這觀念非常重要，讓我再說一遍：耶穌基督的死和復活，其能力和效果，透過祂的教會、祂的兒女，就是我們每一個屬於主的人，繼續延展出來。也就是說，別人能從我們身上看到耶穌的死，也看到耶穌基督的復活。

　　一個例子可以說明這延伸的觀念。使徒行傳第九章記載保羅在大馬士革路上遇見主，那時他還未歸主，正肆意逼迫、殘害教會。主對他說：**掃羅！掃羅！你為甚麼逼迫我？**（掃羅即保羅）保羅逼迫的只是當時的教會，但主耶穌的回應，顯示祂認為保羅逼迫教會，就等於逼迫祂自己。或再說得清楚一點，如果有人欺負你的兒子，就等於甚麼？中國人就會覺得等於欺負你，等於不給你面子，「打狗也要看主人臉」啊！耶穌基督捨命的功效和祂復活的能力，就是透過教會不斷彰顯出來。這正是基督徒信仰的核心所在。

　　雖然我不盡同意靈恩派的信仰，卻同意他們看

重對神的經歷。我們的信仰能否有動力,其中一個很重要的分別,在於我們有沒有經歷神。聖經中也有不少這樣的例子:一個自慚形穢,不受歡迎的撒瑪利亞女人,為了躲避人群,故意在中午無人時到井旁打水,但當她遇見主耶穌,認識祂是誰後,竟然扔下所有打水的工具,跑進村裡告訴所有人她所經歷的!這就是有經歷和沒有經歷的分別。如果信仰只是頭腦的理念,沒有生命的經歷,便很難感到興奮、感到雀躍。但你在信仰歷程中,倘或經歷到神的實在,經歷到你的禱告怎樣蒙垂聽,便會截然不同!

我剛去美國讀書的時候,便得著神蹟一般的經歷。當初所預備的學費快將用完了,按之前學校寫給我的信,我的獎學金只有一半學費,我就憑信心從香港到了美國,正當新學期註冊前一晚,一位老師突然告訴我得到了全數學費的獎學金,為何會跟我收到學校的信件不一樣?因原來在我從香港出發去美國後,在學校數百哩以外另一州有一間教會去信給學校,表示想支持一個神學生,於是學校便給我全數的獎學金。知道這個消息後,我即時跑回宿舍告訴太太,然後跪下禱告,哭了起來,神就是這麼真實!祂適時給我無比的安慰,解決了我不知道如何處理的困難!許多人對神只有頭腦上的認識,

從沒經驗到神是真的，無怪乎沒有能力了。為甚麼有些人有經歷，又有一些人總沒有？一個基本的原因，就是行走人生道路的時候，未能真正實踐基督的義，按照神的方法來行事，只是做半個基督徒，一半是基督的方法，一半是世界的方法；對基督給我們行事為人的準則，只是看情況而行，有時做，有時不做。試想想，當我明白主耶穌要我做的事情後，我卻不去做，我如何可以經歷到神，幫助我去克服所遇見的困難？當你決心跟從耶穌的時候，各色各樣的困難是無可避免的，但這些困難正好是你經歷神的機會！倘若困難來到，你便先從後門溜走了，對神缺乏信心，不敢把困難交託給神，又或者只用自己的方法來解決，相信自己的方法穩妥些，這樣便很難看到神的作為了。

在一些困難的環境中，例如老闆不喜歡、環境不許可，自己也似乎沒有力量，怎樣遵行主耶穌的要求，怎樣實踐基督的義？真的很多時說的容易，又可能我們根本無論怎樣做，都不能保證正面的效果。是的，每個人都有不同的十字架，有不同的艱難，不過父神總會給信靠祂的人出路，不會讓我們永遠停留在死胡同中。父神容許一些事臨到我們身上，亦總會有祂的祝福，總會讓我們有力量完成祂的計劃。只是很多時我們先用了自己的方法，不聽

祂的話,結果便經歷不到神,沒有真正的能力活出基督徒的生命。

也許在很多情況下,我們會覺得沒有可能依從神的意思去生活,甚至有人以為這樣的目的不切實際。記得多年前,我還是神學生時,曾有一次考驗,幾乎要在教會裡向警察撒謊。那些年頭有很多人從中國大陸偷渡來港,政府實行「抵壘政策」,就是他們能進入市區的話,便可以合法留下來。當時我正在香港仔一間近海邊的教會實習,有一個週末的晚上,有一夥偷渡的人游到岸上,不久有一位便衣警員進來,問我:「你這裡有沒有偷渡客?」當時教會很熱心傳福音,其實當時是有一位偷渡客走入了教會,傳道人也帶他進房間,正向他們傳福音。當警察問我有沒有偷渡客,我若回答沒有,肯定是在其他信徒面前撒謊;但說實話,教會和牧師都會有麻煩!我站在那裡,正想不出答案,無言以對,便衣警員見我呆呆地看著他,以為我是個傻子,便不再理會我,自己繼續找,也許他們以為相信一個傻子,倒不如相信自己的眼睛。最後警員很可能以為那個偷渡客不過是教會的參加者,也就走了。

III. 持定向前的態度（三 12～16）

除了認清標竿,認識能力之源,最後我們也要

認定應該持有的態度。首先，第 11 節得略作解釋，因這裡引起不少解經上的困難。保羅說：**或者我也得以從死裡復活**，是否表明他不肯定將來自己能否從死裡復活？從字面上去看，會有這樣的印象。但在哥林多前書第十五章，他已清楚說明基督若沒有復活，或我們不能跟耶穌基督一樣從死裡復活的話，所信的便是枉然了，因此可以肯定，這裡的意思絕非保羅不肯定他自己能否從死裡復活，極可能是指他不肯定自己的生命有多長而已，因生命的長短是神的主權。當時使徒都相信主會很快回來，那麼他們不需要經過死亡、復活，便可與主再次相會。但若他們在主再來前離世，便要經過死亡和復活了。

保羅在第 12 節說：**這不是說我已經得著了，已經完全了；我乃是竭力追求，或者可以得著基督耶穌所以得著我的**〔所以得著我的：或譯所要我得的〕。接著在第 13 節說：**我只有一件事，就是忘記背後，努力面前**。兩節都是循著同一個思路，表明他不單是專心一致，而且會竭力成就這事，走畢全程。基督徒怎樣才能竭力且專注地走畢人生全程？有兩個重要的因素：第一是處理過去的問題：**忘記背後**，第二是處理未來的問題：**努力面前**。一句非常有意思的話：「原諒別人，便要忘記」（forgive and forget），我覺得這句話其實不容易理解。電腦

就可以把資料永久刪除，但人腦怎可以刪除記憶？那些印象深刻的事，或一些對自己的傷害，恐怕永遠也不會遺忘。其實「忘記」的意思，是指不再受這件事影響、困擾，不是指對它完全失去記憶。**忘記背後**，不是叫你甚麼都不要記得，而是不必再受這些事情束縛、影響，包括過去的成功，也包括過去的失敗。很多人不開心的原因，便是終日被過去的事情控制著：「當時他對我多麼差、傷害多麼深，我怎能原諒他！」這些受傷的感受、記憶不能放下，怎能真正感到快樂？**努力面前**，基督教信仰強調因信稱義，但不是說這樣神已成就了一切，我們便甚麼也不用做了。我們仍要與神同工，竭力做好自己的角色、本分，讓神得著祂當得的榮耀，這樣，便能期待得到神本來為我們預備的獎賞。

IV. 結語

保羅提出他能達至快樂的三個重點：第一，認清方向和目標，以耶穌基督的義為你的義，不要用其他方法。錯置這目標的話，你便永遠得不到聖經所應許的快樂；第二，支取神的能力，方法是要經歷祂，經歷祂最佳的時機便是在困難中，在極不順利、極困難的處境下，仍堅持用神的方法行事，你便會發現神的介入，看到神的作為，這樣便成為你

人生的動力，喜樂的本源了；第三，竭力不斷地成長，不要受困於過去，不要容讓那些困擾或傷害過你的人和事，繼續在你身上產生影響，專注前方，努力追求耶穌基督的義，學效一個像保羅般的快樂積極人生。

默想／討論問題

1. 「做人甚艱難」，但你同意做基督徒更艱難嗎？信主以來，你覺得自己的人生快樂嗎？試分享一些你的快樂經歷，它是信主前，還是信主後？

2. 保羅以「至寶」和「糞土」，來對比得著基督後和信主前的成就。誠實地檢視耶穌基督在你生命中所佔的位置，祂是你的至寶嗎？你會願意為祂放棄生命中一些重要的東西嗎？

3. 今日世人有很多道德標準，都跟聖經背道而馳。有沒有一些事情，你心中也疑惑為何要按聖經的標準而行？試在小組中分享，聽聽其他組員的見解？

4. 試分享你經歷神的體驗，並在組員分享後總結：在甚麼光景下最能經歷神。這對你有甚麼啟迪？

5. 在你人生中，有沒有一些不愉快的記憶，常常縈
   繞腦海？檢視這些記憶，對你有甚麼影響？怎樣
   可以像保羅所說，忘記背後、努力面前，「刪除」
   這些不愉快的記憶？

第八章

重尋饒恕的藝術

（腓三 17～四 1）

腓三 17～四 1

第三章

17 弟兄們，你們要一同效法我，也當留意那些
   照我們榜樣行的人。

18 因為有許多人行事是基督十字架的仇敵。我
   屢次告訴你們，現在又流淚地告訴你們：

19 他們的結局就是沉淪；他們的神就是自己的
   肚腹。他們以自己的羞辱為榮耀，專以地上
   的事為念。

20 我們卻是天上的國民，並且等候救主，就是
   主耶穌基督從天上降臨。

21 他要按著那能叫萬有歸服自己的大能，將我
   們這卑賤的身體改變形狀，和他自己榮耀的
   身體相似。

第四章

1 我所親愛、所想念的弟兄們，你們就是我的
  喜樂，我的冠冕。我親愛的弟兄，你們應當
  靠主站立得穩。

　　最近在一個聚會中，聽到一個感人的見證。有
一位弟兄，三代都是黑社會：爺爺、爸爸和他自己。

爺爺和爸爸都是吸毒的，媽媽離家，他自小生活在破碎的家庭中，奶奶是文盲，靠著政府的綜合援助金撫養他長大。他讀書成績惡劣，小學一直都是倒數三名，中學會考成績是零分。最後還步父親、祖父的後塵，加入了黑社會。這樣的人生還有希望嗎？還能改變嗎？但天父在他的生命裡實在有豐盛的恩典，他靠著耶穌，不單改邪歸正，最後還完成了大學、碩士，現在正攻讀博士課程。

保羅在上一段經文（三 1～16）論及人生就像賽跑，要認清哪裡是終點，如何去跑，從哪裡獲取力量支持你跑下去。然後，保羅便進入生命中一些實際的處境，思想在各種難處、挑戰中，怎樣才走得下去。這段經文可分為兩個主要的段落：

I. 兩種人生觀（三 18～21）

保羅在第一個段落指出在人生的賽道上，有兩種人生觀可供選擇，它們引向不同的目的地。目的地一選上，走的路便有所不同了。

一、屬地的人生觀

第一個人生觀，是保羅在第 18、19 節裡說的：**有很多人行事是基督十字架的仇敵**。他形容有些人的人生，行事為人背離耶穌基督所行十字架之路。我們不能完全確定他們是甚麼人，但從經文推想，三章 2 節保羅曾提及**應當防備犬類**，因此，這

裡可能指這些人。我曾解釋，**犬類**指那些像豺狼般
聯群結隊襲擊人的野狗。為甚麼他用這麼沉重的字
眼形容這些人？因為他們敗壞了純淨的福音。

這些**基督十字架的仇敵**其實是在教會裡的，用
約翰一書的字眼，他們是**從我們中間出去，卻不
屬於我們**（約壹二 19）的。他們在教會裡雖有機會
明白整全的真理，但偏偏竊取其中一部分，將它變
成破壞耶穌基督救恩的工具。這些活動現今仍屢見
不鮮，《達文西密碼》便是例子。有信徒讀了它，
信心大受衝擊，懷疑所持守的信仰內容是假的。因
為這書不像《哈利波特》那樣是完全虛構，它一開
始便言之鑿鑿地說書中的內容是有根據，是歷史。
這書半真半假，似是而非，把虛構的與真實的人物
和事件混雜，正如金庸的小說一樣，分別只是金庸
告訴你它是小說，而《達文西密碼》的作者卻說這
是事實。這樣的書，對不熟悉教會歷史的信徒的信
心極具破壞力。

保羅怎樣去形容這一類的人？第 19 節說：**他們
的結局就是沉淪**。沉淪這字在新約聖經，指的往往
是地獄；也就是說，這樣的人，最終的命運是下到
地獄去。為甚麼他們會得著這樣的結局？因為**他們
的神就是自己的肚腹**，他們人生的目標不對，前面
也曾提及，當時的諾斯底主義，是把希臘哲學與基
督教思想相混而產生的異端，他們認為肚腹是為了

吃東西而存在，食物也是為了肚腹而存在的。就是
人生應當「今朝有酒今朝醉」，目標是為自己得到
最大的享受。基督教雖然不說「肚腹」，但也非禁
慾主義，保羅在接下來的四章12節，清楚說明他的
人生觀，及對物質的態度：**我知道怎樣處卑賤，也
知道怎樣處豐富，或飽足，或飢餓；或有餘，或
缺乏，隨事隨在，我都得了祕訣**。面對人生不同
的處境，保羅沒有說基督徒必須終日刻苦，或只管
盡情享樂，因兩者都是極端，都是不對的。神讓我
們人生中有不同的處境，要緊的不是外在的環境如
何，而是內心持抱怎樣的態度去面對。基督徒若仍
認為人生最大的關懷就是自我滿足，生命最重要的
目標就是享受，那麼他便是保羅所指的**基督十字架
的仇敵**，因為這樣的人只看見今生的一切。保羅形
容這些人往往會**以自己的羞辱為榮耀**，意思是本來
令人唾棄的事，發生在他們身上，反而覺得光榮得
很。這句話在今天仍然適切，君不見許多人將明明
羞恥的事當作十分光彩嗎？君不見一些明星沒結婚
就生小孩，或與某某富豪同居，或有不同的性伴侶，
反成為全球華人娛樂新聞的焦點嗎？整個社會的價
值觀都倒轉過來，沒有人再關心道德價值，只追求
個人的感觀享受，並要得著更多。這種態度，不是
現今才有的，二千年前保羅的時代也是如此！保羅
以一句話描述這種人生態度：**專以地上的事為念**，

當下的感觀享受，地上的物質，成為終極的關懷。

二、屬天的人生觀

接著保羅在第 20 至 21 節介紹另一種人生觀，他說：**我們卻是天上的國民，國民**這字在整本聖經中，只在這裡出現。**天上的國民**是特別的稱號，指持像天國公民的身分。因為這個身分，基督徒的人生觀便是**等候救主，就是主耶穌基督從天上降臨**，是以天上而非地上的事為念。華里克牧師（Rick Warren）在《直奔標竿》一書，用一句話來總括人生：「人生就是為了一個永恆的世界，為了我們將來能夠迎見神。」但有時即或是基督徒，也害怕談及永恆的事情，覺得很虛緲，結果連基督教最精彩、最重要的地方也忽略、忘掉。有些人把基督教看成道德教條，鼓勵大家要愛人、彼此幫助、貢獻社會。當然這是我們所重視的，也是聖經教導的一部分，但脫離了永恆去談這些事情，就只會停留在今生的層次。國內有一種思想：「我們要淡化因信稱義，要強調因愛稱義」，這便是本末倒置了。

基督徒應該怎樣看我們的身體（即這物質的世界）？保羅說，這卑賤的身體是會改變的。哥林多後書四章 16 節說，我們的**外體雖然毀壞**。年輕人大概不大明白甚麼叫**外體毀壞**，但中年人會感受到，

四十多歲後便開始有老花眼了，這是較明顯的例子。筆者所牧養的教會，有一位早期的會友李弟兄，現已回到天家，當年他住在大埔一處偏僻的村子，下車後還要走上半小時才到達。每星期他就從那村子走一大段路，再乘巴士來到教會。後來他愈來愈少來聚會了，我去探望他時，他對我說：「我今年七十二歲，七十歲之前，我都不知道甚麼是老。」因七十歲以前，他還能上落斜坡，跟一般人無異。但後來，他身體不再像從前來去自如，令他感到自己不再年輕了。我們的身體有許多限制，不管你願意與否，到了時候，便會毀壞。但保羅接著說了一句奇怪的話，他說：**但內心卻一天新似一天**。這可能的嗎？你覺得你內心今天比昨天年輕嗎？我告訴大家，我們多數人只會愈來愈固執，愈來愈不肯改變自己，看甚麼都是不順眼的；但保羅**內心一天新似一天**，原因是經文的上文（林後四7）說：**我們有這寶貝放在瓦器裡**，有了福音，我們就可以內心一天新似一天。保羅並沒有忽略人定會衰殘這事實。但他說，有一天，號筒吹響的時候，我們的身體也會忽然之間、眨眼之間變成復活的身體（林前十五52）。耶穌基督從死裡復活這個應許，有一天會實現在我們的身上。因此基督徒死後無論火葬也好，土葬也好，有一日，當天使在天上號筒末次吹

響的時候，我們的身體就會被神的大能復活過來，改變形象，得著榮美的身體，不再固執，沒有老花眼、不用再拿拐杖了……。

保羅故意把這種人生觀，跟那些**專以地上的事為念**的人比較。他把這兩種人生觀放在我們的面前，最麻煩的是我們卻肆意選取，這種選一點，那種選一點；或左搖右擺，心懷二意；有時這樣走，有時那樣走。這樣的人生怎不痛苦？作為**天上的國民**，唯有一心一意跟隨主的路，才能看到神的祝福。正如想看日出，我們可忍受夜半起來上山的辛苦；想及孩子的將來，我們便有動力半夜起來給他餵奶、換尿片。同樣地，我們有這未來確切的應許，確信父神會使我們從死裡復活，進入永恆，今生的一切困難，就算不得甚麼了。

II. 兩種人生態度 (三 17～18，四 1)

除了兩種人生觀，保羅在這段經文還說了兩種對人的態度。

一、對愛護自己的人

在四章 1 節，他稱呼腓立比弟兄姊妹為：**我所親愛、所想念的弟兄們，你們就是我的喜樂，我的冠冕**。按當時的習俗，賽事勝出的人會得到以

植物編成的冠冕，這也是奧林匹克運動會的前身。保羅的意思是，「當我人生的賽程走到終點時，我的冠冕是甚麼？就是你們了。你們就是我將來戴在頭上的桂冠，是我得著榮耀的記號。」

做父母親的，兒女就是他們的冠冕，想起他們就感到喜樂，兒女的成就，便是他們的榮耀；兒女的喜樂，便是他們的喜樂。保羅就像父母對子女一樣，絕不會斤斤計較，只有體貼和關懷。最近有一次，我連續多番探訪、講道，碰巧女兒不大舒服，第二天要去一個地方，想我駕車送她。我雖忙極了，但女兒開口請我送她，再忙也不會拒絕！這也是保羅對弟兄姊妹的態度。腓立比教會跟其他教會一樣，都有他們的問題，保羅甚至毫不客氣地點名勸勉他們當中的一些人。但保羅想到教會中其他的成員，便說：**你就是我的喜樂，我的冠冕**。保羅不以自我為中心，卻以別人為快樂，我們的人生，若一天到晚都以自己為中心，覺得全世界都跟自己「過不去」，這樣是沒法開心的。但當你多想到別人，以別人的好處作為自己的好處，別人的快樂就是自己的快樂，別人的成就就是自己的冠冕，這樣我們的人生就會很不一樣。自己有喜樂，也能成為別人的榜樣。

二、對反對真理的人

保羅對「自己人」是很好了，對別人又如何？態度會不會截然不同？那麼，保羅會不會說：「如果你是支持我的弟兄姊妹、我的屬靈兒女，又聽我話的，我便以你為我的喜樂、我的冠冕。但別人，尤其是那些**基督十字架的仇敵**，就不一樣了。」在第 18 節，保羅指出這些反對真理的人為數實在不少。但留意後面的一句話：**我屢次告訴你們，現在又流淚地告訴你**。保羅竟然為著仇敵**流淚**。聖經裡說**流淚**是有兩個字的：一個是「飲泣」，細聲地哭；保羅在這裡用的是另一個字，是痛哭、大聲地哭。保羅為著那些從教會中出來，卻屢勸不改，行事為人破壞十字架道理的人「屢次痛哭」。面對這些構成福音工作最大阻礙的人，保羅的反應不是要打擊、摧毀他們，而是為他們痛哭。

對那些敵擋真理的，我們有權生氣吧？保羅的做法是，在真理上堅持到底，但內心仍為他們流淚祈禱。這一章的主題是「重尋寬恕的藝術」，基督徒的一大恩典，就是我們可以寬恕人。寬恕是一種選擇，保羅對最難面對、最不值得寬恕的人，他竟然流淚為他祈禱。這並不是說保羅接納他們所做的事情，他只是為他們將要走到永遠的沉淪而難過，這種心腸就是我所說的「寬恕」。寬恕不是發生在

行動上，寬恕是發生在我們的心靈裡面，是我們內心的態度；寬恕不是有了結果才是寬恕，寬恕是在這結果還未發生之前，我們心態的轉變；寬恕不是期望那個人有甚麼轉變，或者那個人有些甚麼回應，寬恕是我們在暗室面對神的時候應有的態度。

回到三章 17 節，保羅說：**弟兄們，你一同效法我**。他在新約聖經裡共有四次這樣說：一次在腓立比書，兩次在哥林多前書，一次在帖撒羅尼迦前書。對象都是他直接建立的教會，他是對最親的教會才這樣說話，他不會對羅馬教會這樣說，因他從來沒有到過該教會。不但效法我，保羅還說：**也當留意看那些照我們榜樣行的人**。保羅並非刻意提升自己，在他心目中，所有榜樣美好的人，都該成為我們效法的對象，他勉勵腓立比信徒要選擇美好的人生觀，美好的對人態度。

III. 結語

一位著名的專欄作家，寫了很多心理及人生哲理的文章。一天，一位女士向他請教，說：「我想與我丈夫離婚。不過，你不仁、我不義，他以前這樣待我，我想你教我一個辦法，怎樣的離婚才令他更加痛苦？」她補充：「我想傷害他，正如他怎樣傷害過我一樣。」這位作家就給她獻計：「這樣吧，

我教你一條『絕妙之計』，非常惡毒的。就是你回家以後，假意對他很好，對他愛得不得了，以前你不肯做的事，現在甘心樂意去做，還要多多稱讚他、誇獎他。又處處為他切想地服侍他，讓他回到家裡，覺得『賓至如歸』，讓他相信你是真心愛他。當你做完這一切事情後，當他非常信任你，每天開心地期待回家見到你時，你便突然告訴他：『我現在要跟你離婚了！』這樣，他必定會痛苦萬分，求生不得，求死不能了。」

這位女士聽了這獻計，非常滿意，決定回去一試。她假意對丈夫很好，對他百般順服、遷就，多方聆聽、鼓勵。經過兩個月後，她再回來見這位作家，作家問她情況的進展。她說：「很好，事情發展得很好。」作家說：「那麼，現在就提出離婚，殺他一個措手不及吧！」但這位太太就說：「離婚？我沒想過要離婚。因為我發現，我現在深深地愛上丈夫了！」這位太太最終發現，她的行動，改變了她的感覺。

有一句話說：「motion without emotion」。原來人的行動（motion），會影響他的情緒（emotion）。即或有些行動，初做時沒有甚麼感受，但經常去做，久而久之，會反過來加增、塑造我們的情緒、感受。我們能不能夠愛一個人，很在乎我們有沒有順服

神。我們很多時候說：「神你先改變我，等我有感覺，我就會原諒他了。」你是誰？你認為神需要聽你這樣的祈禱嗎？反之，有沒有想過，我們是否應該先順服在神的面前，說：「主，我不配，我做不到，但我依著你的吩咐，先嘗試去做」。我再說一次：我們能不能夠愛一個人，能不能夠寬恕一個人，在乎我們有沒有順服神！

開始時我提及那位三代黑社會的弟兄，他的見證中，最令人感動的，不是他從會考零分發奮至取得博士生的成就，而是他見證的結束：他學習了寬恕的功課。他說，從會考零分到後來學有所成，很多人都可以做到，對他也不是最難的。但有一件事，對他是極不容易，他一直感到難以寬恕爸爸──他吸毒、不負責任又是黑社會分子，但他深知，如果不去做，便會一生不安、終生遺憾了。當他真的願意照著神的方法，向前邁進一步，就發覺原來不是想像中那麼困難的，最後他得到了那寬恕的解脫。真的要跟傷害自己多時的人和好？也許我們會覺得很遙遠，甚至質疑這樣做是否必要。但當你願意向前多走一步，必會發現，當你肯順服神的方法，以愛去對待別人，原諒別人，必會經歷到神所賜給你榮耀豐盛的生命。

默想／討論問題

1. 今日很多基督徒也會作出投資，信徒參與各種投資活動時，怎樣才能做到「以天上的事為念」？

2. 按保羅說，我們的「外體都會毀壞」。你或你身邊至親的人，有這方面的經驗嗎？會否構成你的憂慮和壓力？這一章的信息，如何有助你面對這光景？

3. 你曾否試過在教會或職場中，幫助一些弟兄姊妹，使他們在屬靈上或專業領域上，得到進步、提升？你自己從中又得著甚麼？

4. 你曾否成為別人非常憎恨的對象？為甚麼對方如此憎恨、討厭自己？後來這些關係能化解嗎？怎樣才能得到那寬恕的解脫？

5. 你遇過「從我們中間出去，卻不屬於我們」的人嗎？他們說的話堂皇漂亮，挺有道理嗎？你如何能夠分辨它們是否合乎真理？

6. 你試過像保羅一樣，為本來信主，但生命敵擋真理的人禱告嗎？最後他們有甚麼改變？

第九章
重尋平安的藝術
（腓四 2～9）

腓四 2～9

2 我勸友阿爹和循都基，要在主裡同心。

3 我也求你這真實同負一軛的，幫助這兩個女人，因為他們在福音上曾與我一同勞苦；還有革利免，並其餘和我一同做工的；他們的名字都在生命冊上。

4 你們要靠主常常喜樂。我再說，你們要喜樂。

5 當叫眾人知道你們謙讓的心。主已經近了。

6 應當一無掛慮，只要凡事藉著禱告、祈求，和感謝，將你們所要的告訴神。

7 神所賜出人意外的平安，必在基督耶穌裡，保守你們的心懷意念。

8 弟兄們，我還有未盡的話；凡是真實的、可敬的、公義的、清潔的、可愛的、有美名的，若有甚麼德行，若有甚麼稱讚，這些事你們都要思念。

9 你們在我身上所學習的，所領受的，所聽見的，所看見的，這些事你們都要去行，賜平安的神就必與你們同在。

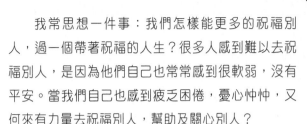

　　我常思想一件事：我們怎樣能更多的祝福別人，過一個帶著祝福的人生？很多人感到難以去祝福別人，是因為他們自己也常常感到很軟弱，沒有平安。當我們自己也感到疲乏困倦，憂心忡忡，又何來有力量去祝福別人，幫助及關心別人？

　　我們每個人都有特別軟弱的地方，有些事情對某人來說不是太大問題，但對於另外一些人，卻往往容易產生困難。但更大的問題，就是我們發現生命中的問題時，我們不敢正視它，結果就算成為基督徒多年，我們仍沒法擺脫生命中的軟弱，失去了信靠主而有的心靈平安。我們跟從主，應該是整個人活在神的面前，我們裡面不論光明或黑暗，都該向神開放，即或那些令我們傷心難過，羞於面對的事情，都可以帶到神面前。祂會體恤我們，扶助我們，不論在人生任何境遇中，祂是那位賜下平安給人的神。

　　四章2至9節可分成兩大段。第一段是第2至3節，保羅在處理教會裡一個失去平安的個案。第二段是第4至9節，保羅指出得著內心平安的祕訣。

I. 失去平安的個案（四2～3）

　　第2節說：**我勸友阿爹和循都基**；這裡說的是姊妹而不是弟兄，因為第3節清楚說到：**這兩個女**

人。這兩位姊妹是怎樣的人,聖經沒有記述。不過腓立比教會裡,很可能姊妹較弟兄眾多。按當時的慣例,猶太人要有十個男丁以上,才可以在一個地方成立會堂。腓立比這地方很可能連十個猶太的男丁也沒有,故當時保羅要去到河邊,猶太人禱告的地方開始他的傳道工作。使徒行傳第十六章記載,在那裡他認識了做生意的呂底亞姊妹,開始了腓立比教會。我想指出一個特別之處,這裡提到友阿爹和循都基兩位姊妹,但保羅的信是給腓立比全教會的,甚至在教會讀完之後,還會在另一間教會聚集的時候再次讀出。試想想,假如你與一位弟兄或姊妹關係不是太好,你的牧者寫了一封公開信,勸你們不要再互不理睬,兩人要快點和解,你會有甚麼感覺?相信大部分人都會感到有壓力、不舒服。但保羅這樣做,在當時的文化背景是可以接納的,這正看到保羅做事的原則:正視問題,不拖泥帶水。今天我們與保羅處事的方式可能不一樣,但真理的原則是永恆不變的,就是我們應該勇敢地面對生命中的困難。

弟兄姊妹,每個人都有自己軟弱的地方,人與人相處,也肯定是會有許多的困難。說自己完全沒有遇過麻煩,也許是對自己不盡誠實,又或者是你的性情十分強悍剛烈,到一地步根本沒有人敢與你

接觸。因此，如果從來沒有人敢來跟你說一些提醒的話，可能你要檢討一下自己了。若我們不敢正視自己生命中的弱點、困難，採取迴避的態度，即或在靈修或敬拜來到神的面前時，又或參加團契與或跟別人分享時，只能拿出自己認為得體的一面來與神、與人交往，卻從來不敢去碰自己裡面那些真正的問題。這些問題非但不會自動消失，往往是造成我們內心失去平穩、平安的原因。

　　保羅在第3節說：**因為他們在福音上曾與我一同勞苦**。保羅不單提出她們有困難的地方，也在這裡說出她們的貢獻。曾聽過有人說，自己有一種「恩賜」，就是懂得批評別人，每當碰上一個人，就像X光一樣，能透視到他有甚麼甚麼缺點。感謝主！在聖經裡面沒有這樣的恩賜。保羅看別人的時候，總是看到他們身上許多的長處、優點，雖然這兩位姊妹在相處上有困難，但她們確實是為福音勞苦的人，保羅便對她們，亦對其他的同工如革利免等加以肯定。之後保羅說了一句話，當然這是由於他領受了神的特殊啟示才能說出的，他說：**他們的名字都在生命冊上**。甚麼是**生命冊**？這詞曾在舊約出現，在新約路加福音中也出現過，在啟示錄則出現多次。生命冊應是象徵的說法，指在神的面前有一個本子，所有屬於祂的人，名字都會寫在生命冊上。

值得留意的是，並不是當我們信了主之後，名字才被寫上去，而是在生命冊上，原本已經有了我們的名字，是神早已預備了救恩，給每一個屬於祂的人。

生命冊上面有名字的人，將來會進到永生天堂那裡去。因此保羅的意思，就是友阿爹和循都基，及他其餘的同工，將來都會在天堂相遇。我們從這角度想一想，保羅說，雖然兩位姊妹意見或有不合，但她們的名字同樣記在生命冊上，因此，雖然我們身邊有些人令我們感到難於相處，但你是否仍然可以肯定他們的價值，他們仍會是天國的一分子！

肯定別人的價值，對別人寄以信任，在現今的世代，對一些人來說是非常陌生的經驗。因為我們生活的環境都提倡保護自己，因此不可對別人寄以信任，不可以與人說真心話，我們也習慣了這樣生活。所以要信任別人，肯定別人，甚至公開稱讚別人，對我們來說都是極其陌生的。保羅談及怎樣得到這位平安的神賜福之前，先論對待自己的同工，及他周圍的朋友，這是以身作則的見證，見證了他做事的原則：正視問題，肯定別人。

II. 得著平安的祕訣 (四4～9)

人怎樣得到內心的平安？第 4 至 9 節可分為兩小段，第一個小段是第 4 至 7 節，保羅說：**你們要**

靠主常常喜樂。我再說，你們要喜樂。喜樂這字是頭尾貫徹全書的，在短短四章聖經裡出現了十多次。第一次出現在一章4節，他說到：**每逢為你們眾人祈求的時候，常是歡歡喜喜地祈求。**歡歡喜喜與喜樂是同一個字。保羅在第三章提到那些困難的時候，在第三章1節說，我說這些話的目的，就是**你們要靠主喜樂**，之後在結束時，他仍然回到這主題。保羅在這裡加了一個片語，他說要**靠主喜樂**，說得直接一點，是要有在主耶穌裡面而來的喜樂。為甚麼在主耶穌裡面會喜樂？據筆者多年牧會的觀察，發現很多人信了耶穌之後，相對以往，確實是開心多了。不過，我們怎樣才可以靠主喜樂？保羅在第6節說：**應當一無掛慮。**我們內心不平安，往往是因為自己經常想著一些事情，經常有一些事情放不下，當然就不快樂了。但中國人也說「人無遠慮，必有近憂」，怎麼可以做到一無掛慮？人生不如意事十常八九，有很多不順利、不如人意的事，怎可以做到一無掛慮？

我們實在有很多東西是心裡掛慮著的：學業、工作、小孩子、經濟環境、巴西進不了決賽？……都會令我們憂心。但勿忘保羅說這句話的時候，正在坐牢，他繫囹圄，或會面對殺身之禍，對於甚麼時候能獲釋，更是遙遙無期。因此他叫大家不要掛

慮，絕不是在平安穩妥的時候說的，而是在危難困厄之中，用自己的生命去見證所說的信息。那麼，他能夠不掛慮的祕訣在哪裡？他說：**只要凡事藉著禱告、祈求，和感謝，將你們所要的告訴神。**上文的**一無掛慮**中的**一無**是指著**凡事**；而**掛慮**是指著**禱告**，為甚麼會掛慮？他說就是我們沒有禱告。保羅說的禱告，是包括了祈求和感謝。最難明白的是他用了**感謝**。我們大多數人會在甚麼時候感謝別人？就是在已經接受了一些禮物、好處或幫助，便會向人表示感謝。但如果別人還沒有為你做事，你就已經感謝他一番，是否覺得有點誇張？這是很少有的。但保羅說在你未得到之前，就要感謝了。

弟兄姊妹，你是否知道，有時我們禱告完了，之後就可以很平安，但有些時候，禱告完了像沒有禱告過一樣。箇中祕訣就在這裡：保羅說你要將自己的需要，藉著祈禱告訴神，並要感謝祂！在未得到以前，便先為它感謝，這表示甚麼？表示你相信祂，在祈求的時候，已可以先去感謝祂了。我重複一次，為甚麼我們會掛慮？保羅說只有一個原因，是因為你不禱告。困難、掛慮出現的時刻，其實就是提醒你要禱告，但你往往沒有禱告，所以便一直背負那很重很重的擔子。為甚麼我們基督徒仍會諸多掛慮，心裡總是沒有平安？因為我們沒有禱告，

將它交託給神；也沒有感謝神，相信祂的信實。

　　最近我在教會為購置新堂址而開的禱告會中，邀請弟兄姊妹在向神禱告之前，先一同來感謝神。感謝神甚麼呢？感謝祂過往在這教會裡，造就了當中的弟兄姊妹。我們當中有些人在教會已三十多年，有些人則只來了三個月，又或者三年，但神也透過我們的教會造就大家，所以要為此感謝祂！結果散會後，有一位同工告訴我，當晚的禱告會很好，因為當弟兄姊妹從這角度去向神發出感恩時，一些人感動得眼中泛著淚光。當我們來到神面前，將自己的心靈向祂打開時，便是我們最真誠的時候。

　　為甚麼有時候我們會很難安心？是因為我們有太多負面的感受，太容易埋怨，對嗎？生活中確會有很多不能盡如人意的事情，但嘗試反過來看看做，先到神面前來感謝祂，數算祂在自己生命中，整個人生路途上所給我們的恩典；看到了一位這樣常常施恩予我們的神，我們的眼光就會改變，心情也會改變。四章 7 節說：**神所賜出人意外的平安，必在基督耶穌裡保守你們的心懷意念。**請留意，這裡不單說神的平安會臨到你們，之後還有：**在基督耶穌裡保守你們的心懷意念。**我們可以知道事情的發展不止於我們的感謝，因為我們相信，神就給我們平安的心境。我們心裡的平安，還是很容易

受環境影響。當環境順利的時候就平安，不順利的時候就不平安；開心時就平安，不開心時就不平安。但是保羅說，這種從神而來的平安，會保守我們的心懷意念。**在基督耶穌裡**有一個意思是，主耶穌會保守帶領我們走完餘下的道路。若我們將整個人的思想和心境都交給神，神便會帶領我們，又讓我們經歷到祂賜下的平安。要知道這個平安不是從我們而來的，而是從神來的，有一種平靜舒泰從心裡湧流出來，使我們有勇氣面對眼前的困難。

第二個小段在第 8 至 9 節。第 8 節說：**弟兄們，我還有未盡的話：凡是真實的、可敬的、公義的、清潔的、可愛的、有美名的，若有甚麼德行，若有甚麼稱讚，這些事你們都要思念。**第 9 節說：**你們在我身上所學習的，所領受的，所聽見的，所看見的，這些事你們都要去行，賜平安的神就必與你們同在。**這兩句很明顯是平行的，第 8 節的意思：凡美好的東西，你要多點去思想；第 9 節的意思：你們從我身上看到、學習到好的東西，要去遵行。結論就在第 9 節最後的一句話：**賜平安的神就必與你們同在。**

保羅在這裡指出得著內心平安的第二個祕訣，就是要建立積極的思想，替代負面沒建設的思想。為甚麼我們會不平安？為甚麼我們會不開心？因為

負面思想帶來的常常都是不平安。人確實是有不同的個性，有些人天生就比較悲觀，無論看甚麼都先往壞處著眼，即或天氣很好，亦會說：「過一陣子是否會下大雨？」一直憂心忡忡。也有一些人天生很樂觀，下大雨時也會說：「很好啊！我們可以在雨中賞雨，挺浪漫！」人有不同的性格及不同的成長背景，對事情也有不同的反應。

不過保羅提醒我們，當我們信了耶穌，耶穌成為我們生命之主後，看周遭事物的方法就要改變，要盡量去想一些好的事情，想一些**真實、可敬、公義**的事情，如果你的思想不改變，仍然抱持負面的態度來生活，內心就很難得到真正的平靜安穩。

有人說過一段慧語：種一個思想，收一個行動；種一個行動，收一個習慣；種一個習慣，收一個品格；種一個品格，收一個人生（見馮蔭坤：《腓立比書註釋》，頁452）。這就是說，你有怎麼樣的思想，就會有怎樣的行動；比如你今天經常想到時間很緊逼，你的行動就自然會倉促、躁動。你種一個行動，即不斷地做某一個動作，就會收取一個習慣。形成了一種習慣，就會收取一種品格，也就等於形成你的性格、為人。種一種品格，就是繼續讓自己的這種性格成長，你就會收取一種人生。因此，若要改變一個人的人生，必須從思想入手。不是二十

一世紀才有人說「積極思想」，保羅在第一世紀早就說了：**凡是真實的、可敬的、公義的、清潔的、可愛的、有美名的，若有甚麼德行，若有甚麼稱讚，這些事你們都要思念。**要經常把思想放在正面且美善的事物上，不要凡事只從負面的角度去看，不要把問題重擔自己獨自承擔，更要留意切不可將那些不開心的事情，經常一幕又一幕的，在你的腦海裡重演，這樣做對你毫無好處，只會令你落入充滿掛慮、苦毒、不安和灰暗的光景。

保羅進一步說：**這些事你們都要行**，你不要只是在想，還需要有行動；凡是看到周圍的人有美善，可以學習的地方，就要效法他們，付諸行動。比如要與某些相處得惡劣的人再建立關係，表面上似乎是很難的，當你想及他為人是怎樣差，他一向怎樣給臉色你看，便會得到一個結論：他是難以溝通的，我與他無話可說等。你所想的，全都是負面、不開心的東西，但倘若你真的嘗試走出第一步，或學習用另一個角度看對方的行動，情況可能未必是想像中那麼差勁。人肯踏出第一步，正視和改變問題，就會覺得那距離並沒有想像中遙遠，無望且無助了。你想有這樣的經歷嗎？你可以祈求：「神啊！我想經歷這個真理，請你幫助我。我將這事情交給你，讓我能夠照著你給我的感動走出第一步，因你

答應過賜平安的神必與我同在。」是的，保羅在第
9 節是這樣說：**這些事你們都要行，賜平安的神
就必與你們同在。**

　　小女在國際學校讀書，前些時候參加她的畢業
典禮，聽到一位老師一篇很好的畢業訓勉，令人難
忘。他提到自己小時候，有許多人生理想。他想做
醫生，結果呢？是他的兄弟姊妹全都成了醫生，他
卻是唯一的例外，他讀了一年醫科就放棄了！他又
希望自己在十年內可以有兩個小孩子，當時剛剛高
中畢業，結果直至現今連女朋友還沒有！他記得小
時候常與父親爭辯，最喜歡說這不公平啊！但有一
天，他的爸爸智慧地跟他說：「我從來沒有跟你說
過，生命是公平的。如果生命真是完全公平的話，
那麼你今天會在哪裡？你已經在地獄裡面了！神的
恩典大過我們的過犯，這才是真正的不公平！」他
又談及，人生中充滿很多意想不到的事，很多計畫
與理想也未必能如願以償。他最後說：「我從來沒
有想過，我的一位姐姐會在前一年意外離世。這事
對我衝擊很大，非常難過，我從沒想過神會突然帶
走我的姐姐，生命實在有太多突然和意外，太多不
盡公平的地方，但在這一刻我突然間明白到甚麼叫
做生命！」這時，全場都鴉雀無聲！我心裡波動很
大，我體會到甚麼叫做生命，甚麼叫做真正的活過！

在我們的人生裡，不是一切都盡如人意，一帆風順，就是平安，這並不是真正的平安。真正的平安，是經得起考驗，裡面形成堅毅的性格，這才是真正的平安！

聽完這段訓勉，回到家裡，我又收到一封電郵，全家人都一起來看，我和女兒一邊看，一邊感動得流淚。郵件說的是 2006 年意大利都靈冬季運動會中，中國女運動員張丹，和一位男隊友一起表演花式溜冰，她在做一個高難度動作時，男的將女的拋出去，不料他轉圈時太急促，女的失腳跌在冰面上，最後她痛得幾乎無法走動，那男的很內疚，勉強扶起她送她回到教練那裡。但過了一會兒，她堅持要繼續表演下去，並完成了整套接近完美的動作，從她的面容，看到那難當的疼痛，當教練幫她包紮傷口，等待成績的時候，全場觀眾都為她打氣，結果她竟然得到了第二名！我看到那些在網上的留言，均讚揚她是中國人的驕傲！這便是真正的生命。

III. 結語

生命不會是無風無浪的，真正的平安，並不是在你一切平順，無災無難的時候；真正的平安，是因為這一位神住在我們裡面，祂給你能力去面對當前的困難，給你勇氣面對未來的挑戰。

　　試回想一下，在你自己的心裡，有些甚麼事令你不平安？從今天的經文可以看到，保羅是先在第 2 至 3 節，挑戰信徒面對人際的問題；他肯定他們的服侍，又鼓勵他們勇敢地面對困難。他運用了兩個原則面對生命中的困境：第一是以禱告代替掛慮，第二是建立積極的思想，代替負面且沒建設的思想。這樣，在第 7 至 9 節作結：平安就會臨到你心裡。

默想／討論問題

1. 試想想，身邊有沒有一些親人、肢體或朋友，你其實很欣賞他們，但很少向他們表達？在未來一週把握機會向他們說一些心底話？

2. 試思想自己個人生命中，有沒有一些很難面對的關係？這些關係對你造成甚麼困擾？你感到最難達至和好的原因在哪裡？

3. 人生不如意事十常八九，從這角度看，你覺得自己的人生算是順利嗎？目前又有甚麼事是你感到最難突破？如何可以在事情還未得到解決前，仍有平安的心境？

4. 你覺得神是否公平？在你身邊所見的人或事上，你怎樣看到神是公平／或不公平的？

5. 試反省你生命中有沒有很消極、負面的傾向？是否某些過去的經驗／經歷影響你有這些負面想法、情緒？四章 3 至 8 節的信息對你有甚麼幫助？

第十章
重尋知足的藝術
（腓四 10～23）

逆境奏樂歌

腓四 10～23

10　我靠主大大地喜樂，因為你們思念我的心如今又發生；你們向來就思念我，只是沒得機會。

11　我並不是因缺乏說這話；我無論在甚麼景況都可以知足，這是我已經學會了。

12　我知道怎樣處卑賤，也知道怎樣處豐富；或飽足，或飢餓；或有餘，或缺乏，隨事隨在，我都得了祕訣。

13　我靠著那加給我力量的，凡事都能做。

14　然而，你們和我同受患難原是美事。

15　腓立比人哪，你們也知道我初傳福音離了馬其頓的時候，論到授受的事，除了你們以外，並沒有別的教會供給我。

16　就是我在帖撒羅尼迦，你們也一次兩次地打發人供給我的需用。

17　我並不求甚麼餽送，所求的就是你們的果子漸漸增多，歸在你們的賬上。

18　但我樣樣都有，並且有餘。我已經充足，因我從以巴弗提受了你們的餽送，當作極美的香氣，為神所收納、所喜悅的祭物。

19　我的神必照他榮耀的豐富，在基督耶穌裡，使你們一切所需用的都充足。

20　願榮耀歸給我們的父神，直到永永遠遠。
　　阿們！
21　請問在基督耶穌裡的各位聖徒安。在我這裡
　　的眾弟兄都問你們安。
22　眾聖徒都問你們安。在凱撒家裡的人特特地
　　問你們安。
23　願主耶穌基督的恩常在你們心裡！

　　有一位企業家，喜歡獨自一人去海邊欣賞風
景。一次，他看見那個每天撐著小船來釣魚的漁夫
又來垂釣，他觀察到這漁夫極不積極，每次釣到足
夠一天收入的魚，便「打道回府」，不再工作。他
很想開導一下這漁夫，便跟他說：「你每次釣到足
夠一天收入的魚便回家，多沒前途啊！其實你還可
以多釣一些，讓自己的收入高一點。」漁夫倒回答：
「今日釣到的魚，已足夠一天生活了，不就可以回
家嗎？為甚麼還要賺更多的錢？」企業家說：「你
多賺些錢，可以買一隻大船，去更遠的地方打魚。
釣到更多的魚，能換取更高收入，可以買更好的魚
網，甚至可以僱用其他漁夫為你工作，再多打些魚。
這樣，你便可以安享下半生了。」漁夫還是有所不
明：「當有了大船，有更好的網，甚至可以僱用幫
工，賺許多錢，那又怎樣？」企業家便說：「這樣
你便不用再為生活煩憂，可以像我一樣，常常來海

邊休閒散步、欣賞風景,不用過忙忙碌碌、營營役役的生活了。」這時,漁夫淡淡然回答:「我現在所過的,不正是這樣的生活嗎!」

當然,這故事並非鼓勵我們只追求當下的安逸,完全不用計劃人生。但它確實道出許多人拼搏淨盡,追趕著一個又一個的賺錢目標,總沒有好好思想過,自己人生最終的方向、真正的渴求是甚麼?腓立比書的最後一段(四10~23)告訴我們,保羅已經得到祕訣,可以支持他面對人生各樣不同的境遇:就是有知足的人生觀。箇中的道理不難明白,關鍵就是你如何保持在神面前有滿足的心態。你如認為自己很缺乏,別人對你很不公平,好像全世界都欠你,神也遺忘了你;總希望自己多得一些,別人少得一些,這樣對你才公平。若你抱持這樣的心態,便很難生活過得快樂滿足,也很難成為祝福別人的人。但相反來說,如果你能體會在神那裡得到人生真正的滿足,就算你身處非常困難的環境,你也會有感受到在靈裡的富足。我們可以這段經文,具體地看一看如何在靈裡過著富足的生活。

I. 知足祕訣之一——因主的同在而感恩

(四10~14)

第 10 節說:**我靠主大大地喜樂!**我得再次強調,保羅說這話時仍身在獄中,生死未卜。接下去

他說：**因為你們思念我的心，如今又發生。發生**一詞在全本聖經中只在這裡出現，指植物到春天又再發芽的狀況；也就是說腓立比人想念保羅的心，好像停了一段時間，突然又再出現。他且補充：**你們向來就思念我，只是沒得機會。**這話背後的真正意思是：「你們一直想念我，也想找機會送禮物給我表示謝意，只是沒得機會。」這樣說，保羅其實未曾獲得腓立比教會，在這段時間想給他的財物幫助，但他因對方思念他這份心意，已經很高興了。就像父母親期待兒女回家吃飯，兒女表示回來，便很開心了；又或兒女答應給父母送禮物，雖然尚未收到，父母已經甜在心頭了。

保羅也怕他們誤解，以為是他期望著得到甚麼好處，所以他在第 11 節補充：**我並不是因缺乏說這話。**第 13 節又說：**我靠著那加給我力量的，凡事都能做。**這節經文常被人用作金句鼓勵人，但也容易引起誤解。像考試的時候，把這節金句的書籤送給同學，就絕不表示收書籤的人單靠祈禱，完全不用讀書，也可以合格；又或者不勤奮工作，單單「靠主恩典」，也可以升職加薪；又或者單靠祈禱而不願意改變自己，也可有很好的人際關係、婚姻生活。沒有這回事！這節經文的上下文很重要，第 12 節：**我知道怎樣處卑賤，也知道怎樣處豐**

富；或飽足，或飢餓；或有餘，或缺乏，隨事隨在，我都得了祕訣。然後才是 13 節：**我靠著那加給我力量的，凡事都能做**。保羅的意思就是，無論在甚麼環境中，不論有錢、沒錢、富足、貧窮，他都能知足、感恩，都能靠著主活得很好。這絕非不盡責任，凡事只說靠祈禱交託，就可以解決問題了。保羅心存喜樂的祕訣：無論身處任何環境，靠著主，便有安然的心面對一切。我再說，保羅雖在監獄之中，但他仍表示：我富足無缺時感謝神，即或落到窮乏卑屈的地步，被人輕視、不公平地對待等，也學會靠著主，喜樂地生活。

不過，基督徒有時也會走上極端，失去平衡，落入偏差之中。自己就曾經有一段時間抱著這種觀念：基督徒要為主而活，絕對不能有豪華的花費，甚至抗拒到五星級酒店。有一次我去澳門拜訪一位牧者，傾談完畢，他駕車送我去一間大酒店喝咖啡，抵步後我渾身不自然，心想，世上那麼多人生活在貧窮線下，傳道人何以還到五星級酒店享受？那位牧者看出我的不安，便教導我用另一個角度來看，使我明白偶爾忙中作樂，不是罪惡，因為保羅這裡說，懂得處卑賤，也懂得處豐富。聖經中也記載很多有錢人，例如亞伯拉罕，竟能動員達 318 名家丁出去打仗，殺敗四王，可見他實在非常富有。神給

每個人的環境、條件都不一樣，只是我們得謹記，聖經從沒有應許我們信了主，就可以家道豐厚、一世無憂。

我們能快樂地面對人生不同的處境，祕訣在哪裡？並非我本身擁有多少資源、儲備，而是不論在任何的環境中，都相信神跟我在一起。不是為自己設下甚麼界線：這些是我能忍受的，那些是我不能忍受的，祕訣是把握著神跟我們同在的應許，當經歷到祂與我在一起，心裡便知足了！

II. 知足祕訣之二——為別人的恩惠而感恩
（四15~17）

第 14 節，保羅說：**然而你們和我同受患難，原是美事**。保羅一直談的是團契（*koinōnia*）。不單是大家坐在一起，唱唱詩、說說近況，而是保羅坐牢的時候，腓立比的弟兄姊妹感同身受，以禱告記念他。第 15 節保羅想到腓立比教會，提及**我剛去馬其頓的時候**。使徒行傳第十六、十七章記載了這段記述。當時保羅因為「馬其頓異象」，轉往西面跑；宣教隊改變了旅程的方向，意味著教會的接濟、支持沒有了。保羅離開腓立比之後，下一站便是帖撒羅尼迦，他們大約逗留了三星期（只有三個安息日的時間），因為發生騷動，他們便倉促地逃離該地。

保羅在第 16 節提及他們在帖撒羅尼迦那三個星期裡，腓立比信徒也一次、兩次打發人支持他們的物質需要。

試想像一下，你在監獄中失去自由，物質上有極大的缺乏，你會想起甚麼？很自然地會想到：很久沒有人來探我了，很久沒有人給我送上幫助了，大概也沒有人記得我了⋯⋯。但保羅在他最缺乏時，想及從前在弟兄姊妹身上所做的工作，跟他們之間的團契，他們對自己的支持，並衷心為他們感謝神。這種常為別人感謝的人生觀，每每想到的是別人對自己的好處，而非自己的不足，真是得喜樂的祕訣！得著知足的人生觀，祕訣就是多想別人給你的好處，少看自己的不足。保羅在第 17 節說：**我並不求甚麼餽送，所求的就是你們的果子漸漸增多，歸在你們的賬上**。意思是：「我不是因為你送我禮物，所以便開心；我並不求甚麼餽贈，所求的只是你們能結出更多的果子」，保羅的目光集中在腓立比信徒能蒙神悅納、記念之上。保羅在第 18 節繼續說：**因我從以巴弗提受了你們的餽送，當作極美的香氣，為神所收納、所喜悅的祭物**。這句話是象徵式表達，保羅把腓立比人愛心的餽送，視為一份祭物，與向神所獻的祭一樣寶貴。我們很少從這角度去看別人的付出，但保羅把腓立比信徒的

愛心行動，視為一種敬拜！

　　我們常常以為回到禮拜堂崇拜，或者聆聽講壇信息，就是敬拜的全部內涵。保羅這裡所說的敬拜，層面更為寬廣。他說的敬拜，泛指為主的緣故作在別人身上的美事。我們為別人所付出的愛心、關懷，將會如同馨香的祭物一樣，達到神面前，神會記念；倘或別人善待我們，他所作的也不單作在我們身上，亦是作在主身上。弟兄姊妹的相處，跟世俗的友誼有何分別？不信主的人有不少亦能建立深厚的友誼，表現出偉大的情操！主內肢體的相交，有一點是不信主的人沒有的，就是神在我們中間，鑑察和記念我們所作的。

　　倘或經歷連番挫折，我們便會漸漸對人失去信心，有時甚至跌進低谷，對家人、對教會、對弟兄姊妹全失去了信心，害怕開放自己，刻意收藏自己。他們可能曾嘗試努力有所改變，但最終還是失望，慢慢地便形成了一種思想，覺得基督徒也不外如是，不能互相信賴。保羅對人生、人性有十分深刻的了解，保羅曾否遇過別人陷害、失信於他？按聖經所記，多的是哩！例如保羅寫提摩太後書時，談及別人都離開了他，甚至反過頭來指控他。保羅深刻體會人情冷暖，但沒有令保羅失去基督徒最重要的情操。如果我遇到失望、挫折，便令我們築起保

護罩,完全不再信任別人,我們才是真正被打倒了!
但保羅這裡給我們另一個選擇,就是明白到人性的
軟弱,這提升了自己的屬靈視線,將別人的好處放
大,同時也將別人的壞處縮小,那就是他得到靈裡
滿足的第二個祕訣。人常把別人的惡放在心上,一
定是不快樂的;相反地,人常把別人恩惠放在自己
口中,他多半是真正快樂的人。

III. 知足祕訣之三——為自己的所有而感恩
(四 18~23)

當我們讀到第 18 節,也許會有點訝異,保羅竟
說**但我樣樣都有**,一個在監獄中的人,怎可能樣樣
都有?有點誇張吧!至少他沒有銀行存款、沒有房
產物業、沒有自由、沒機會經常見到弟兄姊妹、沒
機會講道……在這種情況下,怎能說樣樣都有?我
相信關鍵是他的心態。如果人在心態上感到缺乏,
即或生活在十分自由、社會福利很好的地方,也會
常常覺得有許多不足;相反,心態上若是靠主的話,
那怕日子艱難,捉襟見肘,也會感恩。當保羅說他
樣樣都有,明顯地是指他在心境、情緒上,沒有欠
缺的感受。

我們在生活中真正需用的東西,跟我們心中想
要的往往有差別。試想想,人生中有多少是必需的,

又有多少是想要的？今日我們大部分人，其實都是為「想要」而掙扎；必要的東西，如兩餐一宿，基本溫飽，大部分人都是沒有問題的。很多時候我們還是不開心、不滿足，正因我們「想要」的沒法得到。保羅說他樣樣都有，他所需要的東西已經齊全，為這一點他就滿懷喜樂。

談到奉獻和感恩，我也記起自己以往的經歷。我得過別人很多的幫助，特別在美國讀神學的時候。當年赴美國進修，帶著兩個皮箱和懷了孕的太太，我所有的積蓄只可以應付約大半年的開支，之後的學費便毫無頭緒了。但下了飛機，進到校園，眼前是非常漂亮的宿舍，宿舍裡有個小水池，池中還有天鵝在嬉戲，房子則鋪上了地毯。這對我們來說，已經是非常豪華的家居了，我當時的心境，便是深深的感恩，深覺是主帶領我們到樣樣都有的那個地步！

不過很奇怪，在缺乏的光景之中我們常常能夠感恩，並經歷到神的看顧。但當一切安定下來，收入穩定，反覺得信耶穌似乎樣樣都無，總有些地方比不上別人。例如人到中年，還沒有一間屬於自己的房子、沒有股票投資、沒有多少的積蓄……別人不信主的，卻似乎甚麼都有，於是心中泛起許多交戰。是富足或是貧乏，很多時跟你銀行有多少存款

是沒有必然關係，倒跟你的心態有關！

不快樂的原因很多，可能確是因為周遭有太多問題、困難，引致我們產生憂慮、不安，因此失去快樂。但也有可能是我們心裡不滿足，像永遠填不滿的黑洞，總覺得周遭的人對自己不夠好，關心不足，永遠都想成為所有人關注的焦點，永遠都想在家庭裡做發號施令的人……這樣的人生，實很難快樂！但你若能倒過來看，數一數神已經賜下了怎麼樣豐富的恩典，對生活就有很不一樣的感受！嘗試數算一下在你的兄弟姊妹、愛你的人為你所做的一切，你就該心存感謝，學習跟保羅一起說：**無論在甚麼景況都可以知足……知道怎樣處卑賤，也知道怎樣處豐富……隨事隨在，我都得了祕訣。我靠著那加給我力量的，凡試都能作。**

IV. 結語

富蘭克林（Benjamin Franklin）曾說：「知足者，貧亦富；不知足者，富亦貧。（Content makes poor men rich; discontent makes rich men poor.）」人不知足，就算很富有，仍會感到貧乏；但對於知足的人，貧窮也可以感到富有充足。面對周遭的環境、自己的際遇，又或別人的反應，我們很多時也有種種起伏不定的思緒，關鍵在是我們的心態。

試靜心下來，思想保羅知足的祕訣，如何可以成為我們的祕訣。但願聖靈光照我們的心！

默想／討論問題

1. 你遇見過一些「心靈像黑洞般永遠填不滿」的人嗎？他們生活得快樂嗎？

2. 你試過有一些日子，物質上不很富足，但心境仍很快樂、安穩嗎（可以是信主前或後）？回想自己當時何以能夠這樣？

3. 「對別人的幫助、服侍，其實也是對神的一份獻祭、一份敬拜」，你同意嗎？認同這觀點，對你的教會生活，或你的工作、服侍，會有甚麼影響？

4. 世界有許多地區，富裕程度不及香港，試分享有沒有體會過貧窮中經歷富足、喜樂？基督徒又如何？是否更能這樣做？

5. 面對經濟逆境，很多人可能失去工作、資產，甚至所有過去的保障。試分享，若自己或身邊一些親友面對這境況，你會如何運用這一章經文、信息，以說話、行動，去安慰、幫助他們？

跋

　　二千年前保羅初到腓立比傳道的時候，他可能沒想過工作開始不久就被人捉拿，被囚下獄（見徒十六章），但他和西拉傳出夜半歌聲，將牢房變成敬拜禱告的密室。同樣當保羅寫信給腓立比教會時，他身繫囹圄，面對審判及殉道的可能，卻傳出滿有快樂滿足的信息。

　　今天神也透過腓立比書的信息，繼續對我們說話。我們所面對的難處，父神是知道的。昔日那位賜下力量給保羅活出得勝生命的，今天同樣能賜下力量給我們勝過各樣困難和挑戰。「逆境奏樂歌」不單是屬主的人面對困難時的口號，也同樣應該是我們向世人展示的生命信息。筆者與讀者所分享的話，同樣也是我自己的禱告。願神賜福予每一個聽祂話語而遵行的人！